Narratori Feltrinelli

Chiara Gamberale
La zona cieca

Con una postfazione di Walter Siti

Prima edizione ne "I Narratori" ottobre 2017
Published by arrangement with The Italian Literary Agency
già Bompiani febbraio 2008 e poi Bompiani Vintage 2015

Stampa Grafica Veneta S.p.A. di Trebaseleghe - PD

ISBN 978-88-07-03264-6

Ogni riferimento a fatti realmente accaduti o a persone esistenti è puramente casuale.

La zona cieca

Per B.C.,
finalmente tutti a casa.

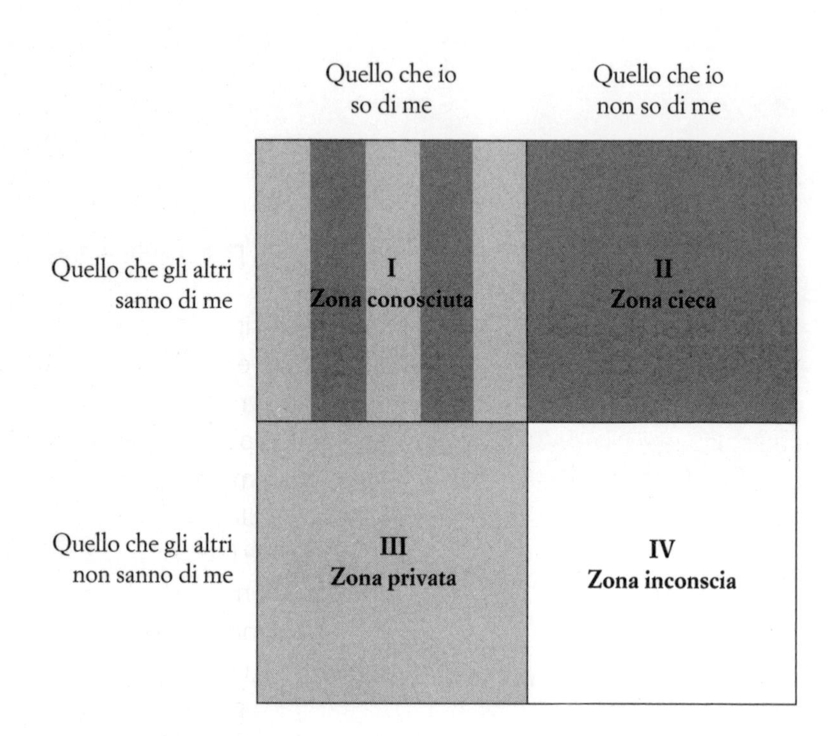

La finestra di Johari

(Il quadrato bianco resta accessibile soltanto dalle emozioni)

Amici ascoltatori, benvenuti a una nuova puntata di *Sentimentalisti Anonimi.*

La mia amica Silvia ha trentadue anni, un figlio che da qualche giorno ha imparato a dire mamma, scrive romanzi per la collana Harmony con lo pseudonimo di Azzurra Cristalli e anche se quando incontra Pietro pensa che il suo matrimonio era in crisi già da un pezzo, in realtà fino a quel momento fra tutti gli uomini che conosceva avrebbe sempre scelto suo marito.

Pietro gli anni se li abbassa ma sicuramente ha passato i cinquanta, ha una figlia adolescente molto tormentata, da giovane suonava il basso in un complesso che si chiamava Funk People e oggi è il più brillante avvocato dello studio di suo suocero.

Quando Pietro, al matrimonio della sua segretaria, le si avvicina e le dice allora sei tu la famosa sorella di cui Ketty parla sempre?, Silvia pensa aiuto.

Parlano dell'ultima puntata di *Ballarò,* di com'è diverso avere Ketty per sorella e averla come segretaria, della Roma e della Lazio, ridono del cappellino fucsia della madre dello sposo.

Li raggiungono il marito di lei e la moglie di lui, conversano amabilmente tutti insieme finché Silvia si scusa, dice devo andare alla toilette e lancia a Pietro uno sguardo lungo quel che basta per significare fai presto.

Fanno l'amore subito, chiusi a chiave nel bagno del ristorante – Pietro la spinge in quello per gli handicappati – che almeno è bello grande, dice, e Silvia ride forte, eccitata e pericolosa, la lampo della gonna già abbassata.

Non finirà lì, lo sanno tutti e due.

Ma incontrarsi è difficile, Roma è una città grande solo per chi non ha un segreto.

Fatto sta che il giorno dopo quello del matrimonio di Ketty, finiscono a fare l'amore in macchina, nel parcheggio di un ristorante di Casal Palocco chiuso per lutto. A seconda della durata della pausa pranzo di Pietro, poi, approfittano di un bar della Magliana per un caffè, di un vicolo cieco di Ostia, della casa vuota di qualche amico che capisce tutto ma non chiede niente, di un albergo a ore sull'uscita sette del Grande Raccordo Anulare, della pensione Sisters su via Salaria. Passano settimane, passano mesi, passa un anno. Mi fai ridere, ripete di continuo Pietro a Silvia, mi fai pensare che il mondo sia un bel posto, ripete Silvia a Pietro, quando ti metti quel vestito che ti lascia la schiena nuda non capisco più niente, quando ti metti la giacca beige – quella che ti ho regalato io – ti salterei addosso appena ti vedo, mi fai sentire giovane, mi fai sentire donna, oddio ma io ti amo, che aspettavi a dirmelo? anch'io, anch'io ti amo scemo.

Il giorno in cui Silvia incontra in metropolitana la cassiera del bar della Magliana che la saluta e le chiede: – Suo marito come sta? –, lei si ritrova in faccia un sorriso ebete e capisce che essere scambiata per la moglie del suo amante le piace un po' troppo.

– Ho lasciato mio marito, – annuncia a Pietro, un attimo prima dell'una e cinquanta, quando il tempo che per un'ora è scivolato lentissimo si mette a correre. Pietro, un calzino in una mano e la cravatta nell'altra, la guarda in cerca di un'espressione giusta. E ovviamente dice la cosa sbagliata:

– Sono contento per te. – A Silvia viene un po' da piangere.

– Che cosa vuoi dire? – domanda. – Che il mondo è pieno di donne tradite e di uomini abbandonati. È la natura delle cose. E infatti io tradisco mia moglie e tu abbandoni tuo marito, – risponde lui. E nel frattempo finisce di rivestirsi, le bacia la fronte come fa sempre prima di andarsene e se ne va.

Silvia il giorno dopo torna all'attacco: – Non ti chiedo di lasciare tua moglie, – spiega a Pietro, – ma di farmi sentire un po' più, come dire? autorizzata a stare con te. Sono stanca di stanze d'albergo, parcheggi e pause pranzo. Non ne posso più di tutto questo altrove, ho bisogno di un po' di dove. – Lui prova a scherzarci su: – Ti ha mai detto nessuno che parli come un Harmony? – Lei lo guarda severa. Pietro capisce che stavolta la questione è seria: – Ti rendi conto che è proprio questa mancata autorizzazione la nostra forza? Non esiste un dove, come lo chiami tu, senza la ricerca di un'uscita di sicurezza, senza la necessità di andarsene altrove, appunto. Ma noi invece siamo già altrove: e non abbiamo bisogno di niente. – Silvia fa no con la testa. Il discorso di Pietro poteva avere senso quando anche lei aveva qualcuno con cui commentare il telegiornale della sera, con cui mangiare gli avanzi del giorno prima, con cui decidere di cambiare la tinta della cucina. Adesso che è rimasta sola, nella casa che le ricorda ogni giorno il fallimento del suo matrimonio, non le serve nessuna uscita a una sicurezza che non ha. – I soldi non ci mancano. Affittiamo un appartamentino solo per noi, che sia casa nostra dall'una alle due del pomeriggio e tutte le volte che pensiamo a quel posto. E dai.

Silvia si occupa di tutto. Convinta che la zona ideale per lei e Pietro sia il centro – perché facilmente raggiungibile per tutti e due e perché se qualche conoscente li incontrerà da quelle parti potranno comunque usare scuse che in quartieri più periferici non reggerebbero, del tipo cercavo un libro che hanno solo alla Feltrinelli di largo Argentina o volevo approfittare dei saldi a via Condotti – si innamora di un bilocale all'ultimo piano di una palazzina fresca di ristrutturazione, alle spalle di piazza della Pigna.

Allora? Chiede, emozionata, quando Pietro vede l'appartamento. Bello, risponde Pietro, e lei ride e dice ma non è finita qui, questo pavimento in cotto lo so che non è il massimo, ma noi lo scaldiamo con un tappeto colorato, magari arancione, alle finestre ci mettiamo delle tende, sopra al letto ci vedo benissimo il quadro con gli unicorni che ho nel salotto di casa mia, e su questo tavolino fiori, fiori freschi tutti i giorni.

Comincia così per Pietro e Silvia una nuova epoca. Non devono più fare la fatica d'inventarsi ogni volta il dove, il come e il quando dei loro appuntamenti. Verso mezzogiorno Silvia arriva nel bilocale carica di spesa, prepara il pranzo, apparecchia la tavola e quando, verso l'una e cinque, sente girare la chiave nella toppa, va incontro a Pietro e gli dice bentornato a casa amore. Nel frattempo quel posto si trasforma da uno spazio asettico a una casa vera e propria – arriva il tappeto arancione, arrivano le tende e il quadro con gli unicorni. Sopra il televisore all'improvviso spunta perfino una piccola cornice d'argento con una foto di Pietro e Silvia a Parigi, scattata durante l'unico weekend che in un anno e mezzo sono riusciti a trascorrere insieme.

Anche quando Pietro non c'è, a Silvia piace restare il più possibile nell'appartamento. Se il figlio passa il fine settimana con il suo ex, lei si ritira lì per due giorni, e le sembra un po' più facile pensare che dal venerdì sera al lunedì mattina Pietro sia impegnato a fare il padre e il marito e lei non possa mandargli nemmeno un messaggio sul telefonino per dirgli mi manchi.

Passa così, inavvertitamente, un altro anno. E un giorno, Silvia la trova. Una sigaretta sporca di rossetto, spenta in una tazzina da caffè dimenticata vicino al letto. Lei non fuma. E non fuma nemmeno Pietro (che, comunque, non usa il rossetto).

Le gira la testa. Ricorda quello che le ha detto Pietro, tempo fa. Non esiste un dove senza la possibilità di andarsene altrove.

Respira forte. Sa che quello è il momento. Che se non abbandonerà Pietro oggi, ogni giorno penserà tanto prima o poi lo faccio, ma non lo farà mai più. La chiave gira nella toppa. Silvia butta nella spazzatura tazzina e mozzicone di sigaretta, tutti insieme. Poi va incontro a Pietro e gli dice bentornato a casa amore. Perché il mondo è pieno di donne tradite, di uomini abbandonati e di persone come Silvia. Che pensano tanto prima o poi lo faccio. Proprio a tutti loro, a tutti voi che prima o poi pensate di farlo, è dedicata questa nuova puntata di *Sentimentalisti Anonimi* e il pezzo di Mina e Alberto Lupo che stiamo per ascoltare. Chiamate, come al solito, al numero verde 800 77 71 77. E vediamo di rendere questo venerdì sera un po' più sopportabile. Per Silvia, per voi. E anche per me.

Sono cinque anni che vado in diretta tutte le sere, dalle undici a mezzanotte, in coda a un palinsesto radiofonico per il resto dedicato esclusivamente ad approfondimenti di politica e attualità.

Nei primi tempi c'è stato chi denunciava di sentirsi tradito, addirittura offeso, per la presenza di un programma come il mio, che irrimediabilmente avrebbe abbassato il livello qualitativo di una stazione fino a quel momento sempre fedele al dovere di informare, non al diritto di intrattenere.

Avevo ricevuto critiche feroci. Quando sull'inserto del giovedì del "Corriere della Sera" era uscito un articolo intitolato *Amore fa rima con cuore: le sconcertanti banalità di Lidia Frezzani*, mi ero detta adesso basta, mollo tutto e torno a occuparmi del telegiornale per l'infanzia su Rete Abruzzo, come facevo prima.

Ma poi arrivava in diretta la telefonata di un ascoltatore che raccontava di aver messo incinta un'amante occasionale che non voleva saperne di abortire, di un'altra che si rifiutava di tenere pulita e in ordine la casa dopo che suo marito era scappato con la figlia della loro filippina, di un altro ancora, ancora un altro.

Tutti come me. Sentimentalisti per vocazione. Anonimi, e dunque clandestini, per obbligo (nei confronti del ventunesimo secolo, della pecora Dolly, di Freud, delle terrazze romane, dei salotti milanesi, delle gallerie di Tribeca, di Eminem, del Grande Fratello, del precariato, dei Quattro Salti in Padella Findus).

Non è che stasera io me la passi molto meglio di Silvia – che non si chiama Silvia ma esiste veramente e in un bilocale che non è a piazza della Pigna ma è veramente al centro di Roma, veramente aspetta Pietro, che non si chiama Pietro ma veramente anche stavolta fino a lunedì non si farà vivo. ("Se l'uso privato di un mezzo pubblico è un reato perseguibile dalla legge," mi ha scritto un giorno un ascoltatore, "lo stesso dovrebbe valere per te, per l'uso pubblico che fai di un mezzo privato come le storie personali tue e dei tuoi amici che ogni sera ci proponi".)

Non è che me la passi molto meglio di Silvia, insomma. Durante la settimana a fine puntata di solito vado a mangiare qualcosa alla tavola calda Mamma Che Pizza, sotto alla radio, con i tecnici e con il regista della trasmissione. Mi piace pensare che il significato di quelle tavolate notturne sia nel piacere di rimanere un po' insieme nonostante la trasmissione. Ma il venerdì sera ogni volta mi ricorda che solo io quando il giorno dopo non dovrò venire a lavorare e potrei scegliere come e con chi passare la serata, sceglierei comunque di passarla a Mamma Che Pizza. Perché Valerio ha Giulia che lo aspetta per andare al Goa, Alessandro almeno una sera a settimana vuole essere lui a mettere a letto sua figlia, Toni stasera vuole andare a scrivere STRONZO con una bomboletta spray sulla macchina di un suo ex.

– Ciao Li', me raccomando, – mi fa Valerio.

– Nun torna' lunedì co j'occhi gonfi che stavolta davero vado lì io e lo corco de botte a quello, – mi fa Alessandro.

– Gli uomini sono tutti uguali, ma ricordati sempre che lui è peggio. – Toni.

Ognuno a modo suo mi sta parlando di Lorenzo.

Giro la chiave nella toppa, Efexor mi viene incontro saltandomi addosso e per aria, pazzo di felicità. Ancora non dà per scontato che se esco di casa, prima o poi tornerò. Nessuno può capirlo più di me: ormai sono quasi due anni che Lorenzo vive a casa mia, ma come ogni sera anche stasera mi assale l'ansia sottile di non trovarlo più. D'altronde non ha mai messo il suo spazzolino accanto al mio in bagno, non ha mai sistemato i suoi vestiti in un armadio.

Vivo con un uomo che tiene il suo beauty-case sul tavolo della cucina e i suoi vestiti sparsi per la casa, un po' accartocciati in una busta, un po' in uno zaino, un po' per terra, dove capita.

Lo trovo sul divano, che dorme. Ha la bocca aperta e russa. Sul pavimento qualche filtro di sigaretta, nella tazza con i gatti dove bevevo il latte da piccola ci sono i mozziconi di una ventina di canne. Da qualche parte, nel sonno, si accorge che sono tornata. Ciao piccola, mastica. Gli carezzo la testa e lui scatta in piedi, impaurito. Che c'è?, domanda. Niente, c'è che ti amo, gli dico io. Lo sai che non devi spaventarmi mentre dormo, mi sgrida lui, e torna nella sua posizione. Dopo pochi minuti russa di nuovo.

Controllo la mia mail.

Vado a dormire anch'io. Se durante la notte si sveglierà per pisciare forse si sposterà nel letto con me. Altrimenti no.

Ci siamo conosciuti circa tre anni fa.

Lorenzo era considerato una promessa importante della letteratura italiana contemporanea fin da quando aveva esordito, a nemmeno trent'anni, con un libro che individuava nel genere del romanzo il colpevole dell'inclinazione della società occidentale a pensare l'esistenza dotata di una qualche struttura narrativa e dunque di un senso. Lo avevo intervistato per telefono a proposito dell'uscita del suo ultimo libro, un'autobiografia immaginaria di Madame Bovary, nel corso di una puntata di *Sentimentalisti Anonimi* dedicata a quanto l'infelicità di certi amori letterari potesse aver influenzato l'immaginario collettivo nel considerare la turbolenza e l'infedeltà come valori aggiunti di una relazione. Qualche giorno dopo mi aveva fatto recapitare in radio una copia del suo libro in cui al posto della dedica aveva scritto il suo numero di telefono. Lo avevo chiamato per ringraziarlo, lui mi aveva invitata a bere un caffè insieme, io avevo risposto che sarei stata ben felice di conoscerlo ma per una serie di motivi troppo lunghi e noiosi da spiegare odiavo l'espressione "bere un caffè insieme", e allora preferivo magari vederci al luna park, era una vita che non ci andavo, e lui aveva detto benissimo, vada per il luna park. Un sabato pomeriggio, precisamente di ventinove febbraio ("Ti rendi conto che oggi è l'unico giorno dell'anno che capita solo ogni quattro anni?" gli avrei chiesto io, qualche ora dopo, "Pensa che una come te a me non m'era capitata mai," mi avrebbe risposto lui), era passato a prendermi e l'avevo incontrato per la prima volta. Aveva una quarantina d'anni, un occhio verde e uno marrone, la barba tagliata male e un'aria divertita e svogliata. Dopo aver fatto un giro nella Casa dell'orrore, sulla Ruota panoramica e dopo esserci fatti leggere i tarocchi da una maga dentro una Bocca della Verità di plastica e polistirolo, avevamo passato la notte insieme a casa sua.

È difficile capire perché fra tutte le voci e i modi di camminare e di fare l'amore in cui ci imbattiamo, capita quella, capita quello che ci raggiunge proprio lì, dove fa sempre freddo, e a quel punto non può che rimanere. È difficile capirlo, ma da qualche parte lo sappiamo subito.

Ecco. Che Lorenzo sarebbe rimasto, da qualche parte l'ho saputo subito.

Da poche settimane ero stata dimessa dal mio terzo ricovero in una clinica psichiatrica. Per entrare in un posto come quello esistono infinite ragioni, ma per uscire da un posto come quello ne esiste una sola: bisogna farlo in tempo. Prima di prenderci gusto. Se lo psichiatra a cui ero stata affidata non avesse insistito, per me, ad esempio, sarebbe già stato troppo tardi: tanto il mondo al di là dei cancelli di Villa Maria Pia mi aveva sempre impaurita, quanto il mondo che non c'era dentro quei cancelli mi rassicurava. È assurdo parlare degli psicotici come di persone *fuori di testa*. È esattamente il contrario, loro vivono tutti *dentro la loro testa*. Non possono e non vogliono raggiungerti, non ti faranno mai un'improvvisata, se vuoi incontrarli devi farti avanti tu e anche in questo caso non è detto sia possibile.

Gli esseri umani mi spaventano da sempre. Il carico di malessere, invidia, frustrazione che portano con loro anche e soprattutto quando parlano d'altro, ridono, quando li incontri velocemente in coda alla posta o davanti a un cinema, mi è sempre arrivato addosso con violenza inaudita. Fin da bambina avevo cercato degli stratagemmi per difendermi, e crescendo il riparo migliore mi era sembrato quello di una certa ossessione alimentare che ogni tanto però mi sfuggiva di mano, prendeva il sopravvento su tutto e mi portava lì. In mezzo a loro. Al professor Girelli che passava la giornata appiccicato a una radiolina portatile spenta aspettando la notizia della terza guerra mondiale, a Gino che collezionava spazzatura, a Donatella che non riusciva più a parlare, a Lucio che non voleva alzarsi dal letto, a Claudio che credeva di essere Gesù Cristo, ad Angela che ogni volta che Claudio diceva sono Gesù Cristo urlava e si tappava le orecchie e gli diceva peccatore, a Benedetto che fumava e basta, a Federica che fumava e basta, a Dino che fumava e basta, a Michele che fumava e basta.

A Roberta, la mia preferita, che se le offrivi una sigaretta e la guardavi nel modo giusto si sedeva vicino a te, e voleva parlare di Marilyn.

– Lo sai, te, perché era la migliore di tutte?

– Eh.

– Lei era la migliore perché faceva luce. Dammi una sigaretta.

– Te l'ho appena data.

– Dammene un'altra.

– Tie'.

– Nessuno era dolce come lei.

– Però a quel poveraccio di Joe Di Maggio gli ha messo un sacco di corna.

– Che c'entra: lei era bella.

– Ah.

– Happy birthday, mister president, happy birthday to you.

– Brava.

– Lei era dolce. Invidio la mia donna delle pulizie, diceva. Dai, chiedi.

– Ancora?

– Ancora.

– Che palle.

– Chiedi.

– Quand'è nata?

– Uno giugno millenovecentoventisei, nove e trenta, General Hospital.

– Dove?

– Los Angeles. Dammi una sigaretta.

– L'altra l'hai buttata a metà.

– Pure te mi chiamavi ET.

– No.

– Perché quand'ero piccola alle elementari mi chiamavano ET?

– Perché?

– Mmh. Hai presente la bambina bionda, l'amichetta di ET?

– Sì.

– Ti ricordi come si chiamava?

– No.

– Nemmeno gli altri. Allora ti chiamavano ET per dirti che somigliavi a lei.

– Che bello.
– Molto bello.
– Anche tu mi tradisci con Nina.
– No.
– Ma i divi sono vip?
– Mah. Secondo me non esattamente.
– Marilyn era una diva.
– Certo.
– E poi?
– Boh. Di Caprio secondo te?
– Vip.
– Nicole Kidman?
– Vip.
– Cary Grant?
– Divo.
– Clooney?
– Marilyn era una diva.
– Basta, dai. Cambiamo discorso?
– Lino Banfi.
– Che?
– Mi fa ridere. Tipo quando in *Cornetti alla crema* Edwige Fenech gli fa sei sposato? E lui c'aveva la fede, se la toglie, la nasconde dietro la schiena e fa io? Nooo.
– Fico.
– Mi odi?
– No.
– Marilyn s'è ammazzata perché non le voleva bene nessuno.
– E Arthur Miller?
– Quello era uno schifoso.
– Ma un bravo scrittore.
– Gli intellettuali ti umiliano come donna. L'ha detto lei. "New York Times", sette marzo millenovecentocinquantuno.
È vero che somigliava a ET, Roberta. Aveva gli occhi az-

zurri, liquidi e giganti, il corpo come una grande pera matura, l'andatura lenta e traballante.

Quando s'incazzava si poteva fare molto male.

Sapeva a memoria le date dei compleanni di tantissime persone famose (ho scoperto, grazie a lei, di essere nata lo stesso giorno di Moana Pozzi e di Enzo Braschi, quello di *Drive In*) e se le raccontavi dieci secondi della trama di un film ne indovinava subito il titolo. Solo una volta si era confusa e aveva risposto *Rain Man* quando invece si trattava di *Forrest Gump*, che però è la stessa cosa, aveva obiettato, sono comunque due matti gravi.

La pensavamo uguale un po' su tutto io e lei, tranne che secondo me

Nicole Kidman è una diva

Dopo la caduta è un capolavoro

Christian De Sica che fa Don Buro in *Vacanze in America* fa più ridere di Lino Banfi in *Vieni avanti cretino*.

Inizialmente, dopo la mia dimissione, proprio con la scusa di andare a trovare Roberta tornavo a Villa Maria Pia quasi tutti i giorni. Avevo ricominciato a lavorare praticamente subito, ma prima di andare in radio non potevo fare a meno di passare un paio d'ore lì, anche senza parlare di niente con nessuno. Quando lo psichiatra che si era occupato di me se ne era accorto, mi aveva chiamato nel suo studio e mi aveva ordinato di smetterla.

– Altrimenti? – gli avevo chiesto io, sperando che la minaccia sarebbe stata quella di farmi rinchiudere di nuovo.

– Altrimenti mi costringi a ordinare al guardiano di non farti entrare.

E in effetti così aveva fatto.

Finché a un certo punto ero riuscita io stessa a non farmi più vedere da quelle parti.

Finché a un certo punto, avevo incontrato Lorenzo.

– Federico da Milano, pronto?

– Ciao Lidia e ciao a tutti gli ascoltatori.

– Benvenuto. Quanti anni hai Federico?

– Trentanove domani.

– Auguri. Allora, cosa ci racconti?

– Ho telefonato perché alle cose che stai dicendo stanotte io ci penso tutti i giorni... Ma secondo me tu la fai troppo facile.

– Cioè?

– Cioè se ho capito bene ti chiedi quand'è che una persona che ci ha fatto andare fuori di melone comincia a dimostrarci davvero chi è.

– Sì, più o meno oggi mi sto chiedendo questo.

– Ecco. La fai troppo facile.

– In che senso, Federico?

– Lidia, questa è una tragedia! A me mi capita sempre di uscire con una donna e fare di lei un mito, ma poi quando la conosco e non è proprio uguale a quel mito mi prende la voglia di ucciderla, non dico per dire, proprio di ucciderla. Comincio a odiare come ride, come studia il menu a un ristorante, come dice pronto? quando risponde al telefonino, non riesco più nemmeno a toccarla, chi cazzo sei tu? mi viene da chiederle.

– Eppure la colpa forse è nostra, insomma, è di chi ha bisogno di idealizzare qualcuno, non di chi, poveraccio, non c'entra niente con quello che ci eravamo messi in testa noi senza nemmeno chiedergli il permesso.

– Ma sì, sì, hai ragione pure tu. Però io non ce la faccio più. I primi giorni penso sempre ecco, questa sicuro me la sposo. Poi non ho capito bene cosa succede. Sicuramente c'è il fatto che all'inizio due che si incontrano sono tutti presi da quel fatto lì, che si sono incontrati insomma, e pensano di avercela fatta a liberarsi di quello che erano prima di quel momento, dei due di picche che hanno ricevuto, di quelli che hanno dato, della loro infanzia, dei loro genitori, di tutte le menate che invece prima o poi tornano, si erano solo messe buone ad aspettare in un angolo per fotterli al momento giusto... Ecco, è quando tornano quelle menate lì che tutto si rovina.

– E, secondo te, senza rimedio?

– Sì. Perché io posso anche fare uno sforzo e sopportare che la donna che ho davanti è diversa da quella che pensavo. Ma il problema non è solo quello. Il problema delle storie d'amore è che superata la fase del rincoglionimento si trovano a tu per tu due persone che non hanno solo desideri e bisogni opposti, del tipo a me piace il gelato al cioccolato, a me invece alla fragola, ma hanno desideri e bisogni completamente diversi fra loro, del tipo a me piace il gelato al cioccolato, io invece adoro le macchine da corsa. E a quel punto è un casino. Meglio andare a puttane, direbbe mio zio Alvise. Che se mi sta ascoltando saluto.

– Non riuscire a venire per potersene andare, insomma. – Questa era la conclusione sulla mia vita sessuale e sentimentale a cui era arrivato lo psichiatra di Villa Maria Pia, sentendosi piuttosto divertente, credo.

In parte aveva ragione. Come tutte le persone disperate ero, senza rendermene conto, una grande stronza, intimamente convinta che il resto del mondo se ne stesse lì esclusivamente a disposizione dei miei tentativi di stare meglio.

In particolare gli uomini.

Ne individuavo uno il più possibile difficile da conquistare, lo avvicinavo, entravo nella sua vita, ne condizionavo almeno un paio di abitudini per accertarmi di essere passata di là e poi scomparivo. Collezionavo un numero allarmante di storie che non avevano mai superato i tre mesi. Non lo facevo apposta. Quelli che incontravo in qualche modo avrebbero potuto capire che l'intimità e la completa accondiscendenza che gli riservavo non avevano niente di personale nei loro confronti. È che non sapevo vivere, e speravo di riuscirci rispondendo ai desideri di chi sapeva farlo, di chi amava leggere o ascoltare il jazz o andare in barca a vela, di chi preferiva qualcosa a qualcos'altro, il vino rosso al vino bianco, l'inverno all'estate, stare sopra a stare sotto. Avevo scelto di studiare Filosofia a Roma per seguire un mio compagno di classe di cui all'improvviso mi ero scoperta innamorata durante lo scritto di greco alla maturità, ero andata in Namibia per costruire un orfanotrofio con un missionario laico, mi ero fatta rasare a zero da un pittore con la passione per le ossa della testa, avevo frequentato centri sociali e riunioni fra neocatecumenali sempre ostentando lo stesso entusiasmo, la stessa disponibilità.

Tanto per me niente faceva differenza. Questo era il mio segreto: che agli occhi degli altri potesse assumere le forme di una prorompente vitalità, era colpa di quell'illusione ottica che confonde l'eccesso di espressione con l'assenza di sostanza.

In realtà non avevo gusti musicali, non seguivo la moda, non sapevo riconoscere il disegno di un bambino da un Van Gogh. Non sapevo bene nemmeno cosa mi piacesse fare a letto, i miei orgasmi erano del tutto casuali.

– Chi ti ha insegnato a toccare una donna così?

– Tu.

Se il merito fosse stato dell'erba che avevamo fumato, della puntata di Marzullo che avevamo guardato o di come effettivamente Lorenzo mi aveva toccato, non l'ho mai capito. Quello che sapevo è che da lì non me ne volevo andare. E che a ventotto anni per la prima volta mi era presa, improvvisa, la voglia di un sacco di cose.

Di passare tutta la domenica a letto, di inventarmi una scusa e non andare in radio il lunedì, di passare anche tutto il lunedì a letto, di sapere che cosa pensava Lorenzo della questione in Medioriente, quanti cugini aveva, con che cosa faceva colazione, di andare al mare, in campagna, a Parigi, a comprare il giornale sotto casa sua.

– È piccola, ma è una sistemazione provvisoria. – Si era sentito in dovere di giustificare il monolocale a pochi passi da Campo de' Fiori dove abitava in quel periodo. – Casa mia è a Trastevere, affaccia su piazza San Cosimato e ti piacerà molto, quando ci andremo a stare insieme.

A quel punto io non avevo bisogno che aggiungesse altro, ma lui sembrava ansioso di darmi spiegazioni, come per contraddire qualsiasi possibile perplessità.

– Più o meno un anno fa mi sono separato e ho preferito che rimanesse la mia ex, nell'appartamento dove vivevamo. Non voglio metterci in mezzo avvocati, cause di separazione e stronzate del genere. Mi fa schifo solo l'idea. Quando sarà il momento, ci metteremo d'accordo fra noi. Per ora va bene così. Gabrielle lavora in una compagnia di teatro sperimentale che per colpa della situazione culturale di merda che c'è in Italia non trova nemmeno un posto dove potersi esibire, la sua fidanzata insegna pilates ma adesso è incinta, aspetta due gemelli, figurati, ed è praticamente disoccupata. Insomma, mica posso mandare tutti a vivere sotto un ponte. Fino a quando non trovano un posto dove andare, io so come arrangiarmi. Detesto le questioni di principio. Sanno di roba andata a male.

E su certi rapporti invece non deve esistere una data di scadenza, diceva. Che lui e Gabrielle si fossero sposati qualche settimana dopo il loro primo incontro, che avessero condiviso il letto per un paio d'anni non era stato così determinante per la loro unione e non lo sarebbe stato ora, ai fini del loro distacco. Tutto poteva essere molto più dolce di come si pensava in giro. Quella era la rivoluzione. D'altronde anche mentre erano sposati non avevano mai smesso di avere altre storie e di raccontarsele.

– Ci tenevamo perfino il gioco, in certi casi.

Come quando, per l'appunto, Gabrielle si era iscritta a un corso di respirazione e aveva perso la testa per la moglie del suo maestro. Dai racconti di Lorenzo non riuscivo a capire esattamente né che cosa fosse il pilates né come fosse andata quella storia.

Pare fosse cominciata con un'amicizia intensa, in cui le due donne avevano coinvolto anche i mariti e pare che fra loro quattro fosse nata una sintonia immediata e profonda, al punto di realizzare quello che avevano scoperto essere un sogno comune e trasferirsi tutti per sei mesi in India. Proprio lì, in un modo o nell'altro, quella fra Maia e Gabrielle era diventata una relazione.

– Pensa che prima di avere il loro primo rapporto sessuale hanno voluto informare noi uomini: Gabrielle l'ha detto al marito di Maia e Maia a me. Insomma, nessuno voleva togliere niente a nessuno.

Tant'è che una volta tornati a Roma, per i primi tempi avevano continuato a vivere in quattro nell'appartamento dove il maestro teneva i suoi corsi.

– Era divertente. Mi sono sempre piaciuti quei due. Non ho ancora capito perché quando lei è rimasta incinta, Gabri le abbia imposto di fare una scelta. Ci facevamo compagnia, tutti quanti insieme.

E in un certo senso tutti quanti insieme erano rimasti, sarebbero rimasti per sempre. Gabrielle e Maia di fatto aspettavano i figli del maestro di respirazione nella casa di Lorenzo. Non è straordinario? Mi chiedeva lui, e a quel punto mi spogliava e facevamo l'amore per tutta la notte e prima di addormentarci mi diceva in un orecchio abbiamo tutta la vita, io e te, per darci tanto, per darci tutto, cose così mi diceva, non vedo l'ora di annoiarmi con te, diceva.

– Saremo gli zii di quei bambini, – diceva, – che saranno un po' come dei fratelli maggiori per tutti quelli che avremo noi. Io ho quarant'anni e non ho mai desiderato figli ma preparati perché con te voglio farne uno all'anno, chi se ne frega se qui nel monolocale non c'entreremo più.

Sono nata da un matrimonio finito quando non avevo neanche un anno e l'orizzonte di una famiglia allargata era proprio la storia migliore che mi si potesse raccontare.

Peccato che era falsa.

Ma anche quando l'avrei scoperto il dispiacere non

avrebbe mai superato la gratitudine per chi aveva confezionato una bugia a immagine e somiglianza dei miei desideri: e dunque li aveva prima di tutto intuiti, riconosciuti.

Poi non erano precisamente bugie, quelle di Lorenzo. Di questo me ne sono accorta praticamente subito, una mattina in cui stavamo facendo la spesa e un suo amico greco lo aveva chiamato sul cellulare.

– Pensa un po' che proprio in questo momento stavo comprando della feta! – Lo aveva salutato Lorenzo. Che in mano aveva una mozzarella.

– Oggi ho parlato a mia madre di te e mi ha detto che adora il tuo programma alla radio, – mi diceva. E dopo poche ore: – Ricordami di telefonare a mia madre, sarà un mese che non la sento.

– Da quando mi sono lasciato con Gabrielle non avevo più voluto che una donna rimanesse a dormire da me e adesso ti sto facendo duplicare le chiavi di casa, ti rendi conto? – E io mi rendevo conto, finché una sera non passeggiavamo per il centro e lui mi diceva nascondiamoci dentro a quel bar, presto, e mi indicava una tipa alta e magra, tutta fasciata di nero: – Prima che arrivassi tu lei viveva con me, abbiamo passato un mese intero chiusi in casa a farci di qualsiasi cosa. Le ho riportato i suoi vestiti il giorno dopo averti incontrato, me li ha tirati addosso, non sai che urla. Mi ha tolto perfino il saluto, se mi vede con te succede un disastro.

Giorno dopo giorno un ricordo veniva sistemato in un certo periodo della sua vita e poi immediatamente spostato, a stargli dietro presto non si riusciva a capire più niente, se avesse avuto problemi con la droga e si fosse disintossicato correndo per il Lungotevere, come mi aveva raccontato quel giorno al luna park, se fumare eroina una o due volte alla settimana non fosse una vera e propria forma di dipendenza, o se ci fosse ancora dentro fino al collo, come lasciava intendere spesso, soprattutto in presenza d'altri.

Realtà o finzione, poco importava: per lui era vero solo quello che diceva in quel preciso istante, quello che rispondeva all'interesse del momento, al bisogno di confermarsi una certa ipotesi, un certo stato d'animo.

Le sue non si potevano definire bugie, dicevo, perché un bugiardo mantiene un certo rapporto con quanto tradisce, non lo perde di vista, ce l'ha ben presente. Lorenzo no. Dal momento in cui se ne faceva traduttore o interprete, un evento smetteva di esistere anche dentro di lui. Hai voglia a chiederti dove andasse a finire: lui prendeva di volta in volta spunto da qualcosa che forse un giorno era successo davvero, magari non a lui, e lo mescolava con quanto la persona che aveva davanti in quel momento gli sembrava volesse sentirsi dire, con il tono, il ritmo, le argomentazioni per quella persona più familiari.

Seduceva tutti, uomini e donne, e nessuno poteva capirlo e giustificarlo più di me.

Lo faceva per istinto di sopravvivenza, non per calcolo.

Fosse stato uno dei tanti, di volta in volta lo avrei ammirato, lo avrei mandato affanculo, lo avrei invitato a fare attenzione, che mia nonna diceva sempre chi frega in casa di ladri finisce fregato, mi sarei divertita, insomma – guarda che se voglio io posso essere ancora più stronza di te, – lo avrei minacciato, – e adesso dammi un bacio.

Ma io di lui sono sempre stata innamorata. E la consapevolezza di quanto quello che diceva e faceva e pensava non durasse un attimo in più della sua espressione doveva fare i conti col mio desiderio profondo che qualcosa gli fosse realmente necessario, un gesto, una parola – fatto a me, detta a me, a me, proprio a me.

La tentazione naturale di far fronte in qualche modo allo sfacelo, perché non ci invada e ci parli irrimediabilmente dell'inutilità dei nostri sforzi per stare al mondo e illuderci di partecipare, non lo riguardava: nel monolocale dove abitava, l'ordine e la pulizia non sembravano semplicemente essere mai stati previsti.

Lorenzo dormiva su un vecchio divano con i cuscini sporchi di mestruazioni.

– Prima di stare con te stavo con una fotografa israeliana che era indisposta tre settimane al mese.

– La tipa che abbiamo incontrato in centro?

– No, quella fa la costumista.

Nel lavandino erano accumulati tutti i piatti e le stoviglie della casa. Li aveva usati finché ce n'erano a disposizione, mi aveva raccontato il primo giorno, poi era passato a quelli di plastica. Che formavano una pila enorme assieme ai giornali vecchi, per terra, in un angolo.

– Prima o poi una sistemata la darò. – Diceva ogni tanto, ma poi ci guardavamo e ci veniva da ridere, e facevamo l'amore per terra, fra copertine di cd usate come portacenere, inviti a presentazioni di libri usati come filtri per le canne, un reggiseno di quarta misura che certo non poteva essere mio e magari era della costumista magra o forse della fotografa israeliana o di Gabrielle o chissà, l'edizione originale di *Malone muore*, un numero di "Diabolik", il calendario della Marcuzzi, il manuale di storia dell'arte di Winckelmann.

Il sesso fra noi era sempre naturale e intenso, per tutti e due. Dopo pochi giorni che stavamo insieme ci scoppiò un dolorosissimo herpes genitale, praticamente in contemporanea, tanto da risultare impossibile stabilire chi l'avesse attaccato a chi. Era cominciato per entrambi con uno strano rossore che si era trasformato in prurito che si era trasformato in dolore lancinante per poi sbocciare in un'escrescenza di carne viva che rendeva praticamente impossibile camminare, strusciare una gamba all'altra, fare la pipì. Il medico ci aveva ordinato un antibiotico, una pomata, e ci aveva invitato ovviamente a non fare sesso finché non fossimo completamente guariti.

– Quello è matto... Mi fa così male che non riesco nemmeno più a usare le mutande.

– Come può pensare che ci passi per la testa anche solo l'idea di farlo?

E invece l'avevamo fatto. Piangendo dal dolore, sangue da tutte le parti, pomata e sperma.

– ...buonanotte Lidia e buonanotte a tutti gli ascoltatori, sono Carla e chiamo da Bari.

– Ciao Carla, dimmi.

– Ecco, io penso che l'ascoltatore che ha parlato prima di me abbia ragione solo fino a un certo punto. Insomma, è vero, è sempre un'angoscia pensare a che cosa fa e dice, insomma, a come si comporta la persona che amiamo quando esce dal raggio d'azione del nostro sguardo...

– Bella questa.

– Cosa?

– Il raggio d'azione del nostro sguardo.

– Ah, grazie, è che io scrivo poesie, anche se non le faccio leggere a nessuno. Dicevo, insomma, è sempre un'angoscia. Ma perché io ho avuto due mariti e con il primo mi tormentava l'idea di chi diventasse una volta uscito di casa mentre con il secondo quel pensiero nemmeno mi passa per la testa?

– Ecco, perché?

– Perché il primo quando c'era non mi dava niente, mentre il secondo mi dà un sacco, mi diverte, insomma mi fa sentire protetta, amata.

– Quindi tu sostieni che più una persona quando c'è ci fa

stare bene, meno ci preoccupa il fatto di non poter mai dire con certezza di conoscerla fino in fondo?

– Sì. Insomma, il mio primo marito mi faceva sentire una nullità, andavamo al cinema solo per vedere i film con le sparatorie che piacevano a lui, non mi accompagnava mai alle cene con i miei ex compagni di classe, mi compravo dei reggiseni nuovi, magari fatti un po' strani, e lui neanche se ne accorgeva, dopo un anno di matrimonio nemmeno facevamo più... Insomma, hai capito. È naturale che mi chiedessi se il suo comportamento dipendesse da qualcosa che non sapevo, magari da un'altra donna. Che adesso che ci penso sarebbe stata una spiegazione meno dolorosa di quella che ho dovuto accettare.

– Cioè?

– Che non c'era nessuna altra donna. Insomma. Mio marito era semplicemente fatto così.

La goccia nera.

Qualcosa che quando c'è lei non ci sei più tu.

È come la perdita dei superpoteri per un supereroe.

Un senso assoluto di fallimento.

I pensieri che ti si sciolgono di dosso.

Sono lo schizzo di sperma di un'eiaculazione notturna.

Il legno marcio di un vecchio galeone affondato.

La cacca quando non viene.

Una bolletta scaduta. Sono uno zero.

Nemmeno degno della rotondità di uno zero.

Sono zero virgola due.

Dopo quasi un mese passato insieme ininterrottamente, ero partita un paio di giorni per Milano, da dove ogni tanto conducevo una diretta con la presenza del pubblico in studio.

Capitava sempre qualcosa di inaspettato in quelle occasioni e al mio ritorno non vedevo l'ora di raccontare tutto a Lorenzo.

Ero arrivata nel suo monolocale direttamente dalla stazione, senza nemmeno passare da casa mia.

E lo avevo trovato al buio, nudo, a mangiare un barattolo di pesto come fosse una coppa di gelato, rannicchiato sul divano, lo sguardo fisso nel vuoto, tutt'attorno mozziconi di sigarette, carte di merendine, un tanfo insostenibile di chiuso misto a una specie di piscio misto a plastica bruciata.

– Ciao amore.

– Ciao.

– Che cosa succede?

– La goccia nera.

Non era colpa sua, non era per niente colpa sua, diceva. Forse io, per prima, avrei potuto capire. Tutte le persone della sua vita alla fine l'avevano abbandonato per questo male, che esattamente male non era, male non faceva, non faceva niente, questo era il problema, niente, niente, questo il problema, il niente.

Le parole gli s'impiastricciavano di moccio, mentre mi stringeva forte i polsi e mi chiedeva scusa e aiuto, e ancora scusa, ancora aiuto.

E io sentivo forte che quello era il mio posto. E gli dicevo che non avevo paura. Che non doveva avere paura nemmeno lui. Che per colpa di qualcosa del genere anch'io avevo perso tutte le persone che amavo e che ad abbandonarle fossi stata io era semplicemente un dettaglio. Comunque le avevo perse, comunque avevo perso.

Ci ho messo un po' per capire che quello che dicevo a Lorenzo quando lo trovavo in quelle condizioni cadeva nello stesso pozzo senza fondo in cui precipitava lui, dove non c'era possibilità di risonanza, di comprensione, d'ascolto.

A quel tempo ero ancora così arrogante e presuntuosa da credere che esistessero parole talmente giuste da raggiungerlo proprio dove si era perso. Da entrargli dentro, e portarmi con loro. Da farlo alzare da quel divano, fargli fare una doccia, farlo vestire, uscire. Fare una cosa qualsiasi. Per esempio accorgersi che c'ero.

Ma quelle parole non esistevano, non esistono. Rimane la possibilità di qualche gesto.

Come comprare del detersivo e lavare tutte le stoviglie

nel lavello. Aprire le persiane. Farlo sentire importante. Pregarlo di leggermi una poesia di Marian Moore. Farmi spiegare la differenza fra analogico e digitale.

Prenderglielo in bocca piano, dolcemente, e poi sempre un po' più forte, finché non gli venisse duro, finché non venisse.

Allora si sentiva un po' meglio, come si sta quando si vomita o si va al bagno dopo un'indigestione.

Il sesso in certi casi, anche quando si fa, non c'entra niente.

Quella crisi di Lorenzo era stata solo la prima di tante, la prima di tutte.

Presto avevo cominciato ad aspettarmelo. Ogni volta che ci separavamo per qualche giorno, quando a notte fonda, finita la diretta, tornavo nel monolocale, lo trovavo in preda a quella disperazione impermeabile.

Anche il risveglio poteva essere un momento terribile. Verso mezzogiorno sbucava fuori dal letto, strisciava fino alla macchinetta del caffè e diceva oggi proprio non ce la faccio, non ce la farò.

– Perché non ti fai aiutare?

– Che vuoi dire? Andare da uno psicologo?

– Per esempio. O almeno da qualcuno che ti prescriva qualche farmaco. Giusto per superare questo momento.

– Nemmeno morto, Lidia, mi dispiace. Quella è roba da signorine di provincia per bene.

– Ma l'ho fatto anch'io.

– Ecco, appunto.

Gli psicofarmaci sono merda, diceva. Meglio una striscia di coca. Una botta di eroina. Quantomeno la sua sofferenza non sarebbe andata a vantaggio di qualche multinazionale farmaceutica del cazzo.

A quel punto ho cominciato a cercare prove per stanarla io, allora, l'origine di tutto quel male. Mentre Lorenzo dormiva, spiavo il suo cellulare, la sua agenda, un diario che aggiornava quotidianamente con poche frasi di cronaca, più che altro sul tempo o su quello che stava leggendo in quel momento.

Ciao Lollo che fai? Passi dal Bar degli
Specchi stasera? C'è pure Vento

Letto il tuo pezzo di oggi su Ellis:
grande!

Ciao bambolotto, mi manchi. Yours
Gabri

h. 17:00 – Dentista

Oggi ce la tipica luce dei primi giorni di primavera. Fa ancora freddo però. Finito il libro di T., molto buono il primo racconto (n.b. "lo sguardo acido della maestra"), gli altri così così. Comprato una lampada nuova e due magliette.

Cena con Gabri e Maia, hanno fatto l'ecografia, saranno due femmine. Maia dice che le vogliono chiamare Alice e Gea. Mi sembrano nomi fichi.

Forse domani tolgo il piumone dal letto, Lidia dice che ormai fa caldo e non serve più.

Cominciato La ripetizione di K.*, non ci capisco un cazzo.*

Messaggi innocenti, appunti che non rivelavano un granché. Ma il loro rumore di fondo è stato subito assordante, come per me lo era da sempre quello che la gente dice e pensa e fa di noi mentre non ci siamo, quello che succede quando non ce ne accorgiamo e che però un giorno all'improvviso potrà assalirci alle spalle, e trovarci impreparati.

Che quanto può farmi soffrire me lo dichiari subito, pensavo, così lo farà un po' di meno. Fin da bambina avevo preso il vizio di frugare nelle borse di mia madre, fra i documenti di mio padre, facevo moltissime domande a tutti, non mi accontentavo mai di nessuna risposta, volevo sapere, ficcarmi in qualunque intenzione, stare in guardia, anticipare. Sapevo stringere solo amicizie profondamente complici, simbiotiche.

Di ogni cosa che mi succedeva, di ogni persona che incontravo, volevo la lastra.

Se si fosse trattato di uno stato continuo di ricerca, si sarebbe limitata a una caratteristica. Ma appena s'imbatteva in qualcosa di bugiardo, di provvisorio, d'inconfessabile, si trasformava in perversione. Potevo arrivare a spiare nei bagni della scuola le conversazioni fra le mie compagne di classe, alzavo la cornetta del telefono della mia stanza per origliare che cosa avevano ancora da dirsi i miei genitori dopo essersi separati. Avevo sviluppato un intuito che poteva anche fare a meno di cercare conferme e si nutriva di mezze frasi, cenni, reticenze. Andavo stupidamente fiera che non sbagliasse quasi mai, come se lo scopo della vita fosse svelarne i trucchi invece che credere il più possibile a quelli che ci piacciono.

Crescendo, non ero affatto migliorata. Anzi. I miei problemi col cibo mi avevano messo in testa di poter combattere e dominare anche l'istinto, uno stimolo naturale com'è quello di mangiare.

A quel punto il gioco si fa piuttosto pesante. Si diventa l'unica propria divinità riconosciuta. Compassionevole o terribile ma il più delle volte terribile e basta, come tutte le divinità. Sta di fatto che non si deve rispondere a nessun altro.

Così la mia ansia di controllo negli ultimi anni aveva raggiunto un livello pericoloso. Da qualche parte ero certa che mettersi al riparo da quello che fa male fosse possibile. O almeno lo era a me.

Bastava tenere gli occhi aperti.

Non distrarsi.

Vigilare.

Capire tutto perché non potesse sfuggire niente, nessuna possibilità di dolore, nessuna brutta sorpresa. L'avevo sempre fatto per proteggere me, adesso l'avrei fatto anche per Lorenzo. L'avrei difeso da se stesso e avrei difeso tutti e due dal resto del mondo, mi dicevo. Ma per la prima volta il mio intuito strideva con il bisogno che avevo di non dargli retta. Fino a quel momento da ascoltare c'era stata sempre e solo l'urgenza delle mie paure. Adesso invece c'era Lorenzo. E io non volevo perderlo. Ma non potevo lasciarmi sfuggire nemmeno quello che percepivo in lontananza, ai margini della vita che condividevo con lui.

E che puntualmente parlava di qualcosa che con la nostra, di vita, non aveva molto a che fare. Qualcosa di più o qualcosa di meno, comunque qualcos'altro. Qualcosa da cui ero esclusa. E dove sarei riuscita a entrare, prima o poi. È in quello che non sappiamo la chiave di tutto, mi dicevo. I segreti sono pieni di soluzioni. E anche se non tutte mi piaceranno, solo così troverò quella dei risvegli impossibili di Lorenzo. Della sua incapacità a vivere tutto. A vivere noi.

Me.

Perché quando piangeva e si soffiava il naso col lenzuolo diceva: – Io non esisto. – Ma in realtà stava da tutte le parti. Ero io a non esistere.

– Non ho più niente e nessuno al mondo.

– Non è vero. Pensaci bene.

– Sì, lo so, ho i miei genitori, ho mio fratello e mia sorella, ho un nipotino meraviglioso. Ho degli amici importanti. Ho Gabrielle e Maia, che sono la mia famiglia.

– Hai molto di più.

– Non mi viene in mente niente.

– Sforzati.

– ...

– ...

– Ho una certa fama letteraria, sì.

In breve, come tutte le storie, anche la nostra aveva preso a vivere di certe abitudini.

Principalmente di una: quella che fossi io ad andare e venire da casa di Lorenzo.

E che fosse lui a decidere quando dovessi farlo.

A volte nel cuore della notte mi chiedeva di andarmene, perché la mattina dopo avrebbe dovuto scrivere e preferiva non dover interferire con nessuno prima di cominciare a farlo. Non mi accompagnava perché lo deprimeva il quartiere residenziale, dalle parti dell'Eur, dove avevo preso casa in affitto una volta finita l'università. Era possibile che dopo poche ore mi telefonasse e mi chiedesse torna.

Io acconsentivo, com'è nella mia natura: non tanto per sottomissione, ma sempre per quel mio solito vizio, perché non esistessero scarti fra il desiderio e l'azione delle persone con cui avevo a che fare.

L'importante, insomma, era che quando mi vedevo con Lorenzo lui volesse davvero farlo.

Oltre quella condizione pensavo cominciasse irrimediabilmente il male, il compromesso familiare, le feste organizzate da McDonald's, la spesa del venerdì pomeriggio, il sorriso del padre quando a cena i suoi bambini gli fanno l'imitazione e lui pensa ho fatto proprio bene oggi a dire a quella certa ragazza di non farsi strane idee, perché uno mica può mollare tutto per due belle scopate, lo sa anche lei, e sa anche che comunque se vuole domani la aspetto allo stesso posto alla stessa ora.

La voglia d'altro di tutti i mariti, il rancore di tutte le mogli, i brufoli dei figli.

Con Lorenzo ce l'avrei fatta a evitare tutto questo.

Nel rumore irreparabile che fa la gente mentre esiste, noi avremmo accordato un flauto.

Riuscirci avrebbe avuto il suo prezzo, ma ero disposta a pagarlo.

Ne ero fermamente convinta.

Ho cominciato a vacillare un giorno, quando avevamo appuntamento dopo la mia diretta, ma nel monolocale ad aspettarmi non avevo trovato nessuno.

Ho provato a chiamarlo sul cellulare.

Squillava a vuoto.

Ho provato ancora.

E ancora.

Ancora.

Finché la voce della signorina TIM mi ha informato che l'utente da me desiderato non era al momento raggiungibile.

L'ho aspettato sveglia per tutta la notte, sfogliando ossessivamente il suo diario, in cerca di qualcosa che potesse aiutarmi a capire dove fosse finito.

R. D. mi ha spedito il suo libro in bozze, mi sembra buono ma non potente come il primo, non so se dirglielo o no, forse è meglio di no. Pioggia ininterrotta da stamattina. Umore nero.

Incontrato Pat per caso a Campo de' Fiori. Molto bella, mi ha chiesto di andare a casa sua. Rimango il vecchio predatore di sempre, grrrrrr.

Emicrania e vomito, presi tre Optalidon. Poi tutto il giorno a casa di Tr. *** *Sono un tossico. Però geniale.*

Tempo incerto. Piove col sole, luce irreale nel tardo pomeriggio. Fatto sesso forte con Lidia. Cena con V. Ge. per parlare del mio nuovo libro, l'idea gli è piaciuta molto.

Sono un uomo perso. Abbi il coraggio di dirtelo, Lorenzo. Sei finito schiacciato sotto il peso del tuo cinismo, nessuno ti ama, nessuno ti stima, sei la ruota di scorta dell'ultima ruota del carro.

Come al solito, ogni parola poteva significare qualsiasi cosa. Chi era Pat? E chi era Tr? E cos'era successo a casa di Pat? Che cosa indicavano gli asterischi riguardo il giorno passato a casa di Tr? E tutto quello smarrimento? Che cosa ne avrebbe fatto?

Cosa ne stava facendo in quel preciso momento?

La notte diventò mattina. La mattina pomeriggio. Il pomeriggio sera.

Dovevo andare in radio.

L'utente da lei desiderato non è al momento raggiungibile.

Le parole della diretta andavano per conto loro.

L'utente.

Da lei.

Desiderato.

Non è.

Al momento.

Raggiungibile.

Sono tornata di corsa al monolocale. Non mangiavo e non dormivo da più di un giorno.

Ho aperto la porta sperando solo di trovarlo lì. Non c'era.

È arrivato alle sei del mattino.

– Ciao piccola, che bella sorpresa.

– Che bella sorpresa un cazzo.

– Ma che ti succede?

– Stavo per chiamare la polizia.

– Tu sei scema.

– E tu sei uno stronzo. Dove sei stato?

– Fatti i cazzi tuoi.

– Sono cazzi miei. Dove sei stato? a casa di Pat? di Tr?

Dove cazzo sei stato, Lorenzo, e soprattutto perché non ti è passato per la testa di farmi almeno uno squillo e dirmi non ti preoccupare, va tutto bene, non mi è successo niente di grave, è solo che sono un povero coglione che a quarant'anni ancora si sente *il vecchio predatore di sempre* a scoparsi una troia incontrata a Campo de' Fiori?

– Non mi piaci così.

– E chi se ne frega.

– Se vuoi proprio saperlo, sono stato a casa mia.

– È questa, casa tua.

– No. La casa dove vivono Gabri e Maia è casa mia.

– E che ci sei stato a fare?

– Gabri rischiava di perdere le gemelle, l'altra notte.

– Ma come? Non è quell'altra a essere incinta?

– Sì.

– E allora?

– E allora Maia rischiava di perdere le gemelle dopo un'incazzatura che si è presa con Gabri. Ma non è questo il punto.

– Infatti non è questo. Sono le puttanate che mi dici, il punto.

– Non ti riconosco. Va bene, sei la bambina viziata di un dentista ricco di provincia, sei cresciuta fuori dal mondo, ma ti credevo capace di pensare che il resto della gente, a differenza tua, ha problemi veri. Gabri l'altra sera mi ha telefonato sconvolta. Maia era andata a dormire da suo marito e l'aveva minacciata di non tornare mai più.

– E tu sei stato con lei a consolarla.

– Sì.

– E a me non hai pensato nemmeno per un momento?

– No. Io penso alle persone solo quando ce le ho davanti agli occhi. Quando non ci sono è come se si spegnessero, nella mia testa.

– Mi pare che Gabrielle e Maia rimangano sempre accese.

– È anche colpa mia se si sono messe in questa situazione, me lo ripetono sempre. Il minimo che posso fare è dare una mano.

– Nessuno ha fino in fondo il merito o la colpa di quello che facciamo.

– Ma io non volevo figli e Gabrielle li voleva più di ogni altra cosa.

– È per questo che ti ha tradito con una donna?

– Non puoi capire, lascia stare. Io non le mollo.

– Perfetto. E io mi sentirò sempre un satellite che gira attorno al pianeta in decomposizione di un matrimonio che non ha avuto la forza di stare in piedi e adesso non ha nemmeno la forza di fallire.

– Mantenere un rapporto con i nostri ex significa mettere un dito in culo alla morte.

– Farlo come lo fai tu significa metterlo in culo alla possibilità di andare avanti. E quindi alla vita.

– Parli come una conduttrice radiofonica di un programma di schifezze sentimentali.

– E tu come uno stronzo. Toglimi un'ultima curiosità. Chi cazzo è questa Pat?

– Una che frequentavo prima di te.

– La fotografa?

– No.

– La costumista?

– No.

Con quello che non c'era più, Lorenzo intratteneva rapporti ostinati.

Il suo libro migliore aveva come protagonista il primo fidanzato di sua madre, un archeologo che un giorno era partito per degli scavi sull'Isola di Pasqua e da quel momento non aveva più fatto avere sue notizie. Sulla scrivania teneva una foto della sua classe in prima liceo. Non riusciva a capacitarsi di essere uscito dall'ospedale per farsi una canna proprio mentre suo nonno stava per esalare l'ultimo respiro.

Anche mentre viveva il momento, da qualche parte in realtà stava confezionando un rimpianto.

– Te lo ricorderai, piccola Lidia, questo periodo passato con un uomo alla deriva come me. E spero lo farai con tenerezza.

– Ma non abbiamo deciso di invecchiare insieme, io e te?

– Certo, certo.

– Ti amo.

– Ti amo anch'io.

– E allora perché dici quelle cose lì?

– Povera piccola Lidia, quanto sei innocente. Mi piacerebbe almeno avere il merito, un giorno, di averti indurito un po' la pelle.

E ricominciava. Spostare la nostra storia in un futuro che identificasse come passato il presente, sembrava sollevarlo da un peso insostenibile.

Quello della responsabilità di far felice una persona. O di deluderla.

– Non ti faccio mai regali e non ti mando messaggi d'amore perché magari poi ti abitui e il giorno che non lo faccio ci rimani male.

– Però se fossi una tua ex mi riempiresti di attenzioni.

– Che c'entra. Con loro mi viene tutto più semplice, più naturale. Non ci sono doveri, non ci sono responsabilità. Con le ex io mica ci scopo.

Ci credevo. Magari mi avrebbe messo più allegria pensare il contrario. Avrebbe puzzato meno di morte questa sua disponibilità continua nei confronti di Gabrielle e di una lunga fila di donne dalla miccia erotica disinnescata.

Che erano ovunque.

O meglio. Ovunque in quello che io non sono mai riuscita esattamente a delimitare ma che lui chiamava, con un certo orgoglio, il suo ambiente.

– Tu sei davvero deliziosa ma cerca di farlo soffrire, – mi aveva consigliato una rossa appariscente all'inaugurazione di una nuova galleria d'arte in centro, – con uno come Lollo ottieni qualcosa solo se ti fai i cazzi tuoi.

– È più forte di lui, deve infilarlo da tutte le parti, – mi aveva spiegato un'attrice filiforme, dallo sguardo assente e il tono divertito. – E detto fra noi manco è un granché.

– Io ero la luce dei suoi occhi perché lo trattavo di merda, – mi aveva sussurrato a una cena la moglie di un famoso giornalista.

– Perché con me dovresti comportarti in modo diverso? – gli chiedevo io, quando rimanevamo soli.

– Perché sei diversa tu.

– Perfetto. Quella tua amica che collabora per "Il Messaggero" me l'aveva assicurato che mi avresti risposto così.

– Quella non capisce niente.

– Mi pare che di te capisca molte cose.

– Ma dai, avremo scopato sì e no tre volte.

– Questo non lo sapevo. Io mi riferivo alla recensione che ha scritto sul tuo ultimo libro.

A quest'esercito potentissimo di fantasmi, che era quello delle donne con cui era stato, cominciava poi ad affiancarsi quello delle donne con cui mi tradiva, con cui mi avrebbe tradito.

– Ma come? Non solo lo hai fatto, ma lo hai anche scritto sul diario. Senti qua: *Convegno a Udine. Bella serata. Una ragazza dalla vita stretta e i fianchi larghi mi tocca con grande maestria. Alle donne piaccio, non ce niente da fare. Punto esclamativo.*

– È finzione. Sono gli appunti di un racconto che mi è venuto in mente sul treno di ritorno.

– Tu non hai fantasia.

– E tu sei stata in una clinica psichiatrica, mi pare che non dovresti fidarti così tanto di quello che ti metti in testa.

– Questo è vero.

– Ecco.

– Qualunque cosa sia o non sia successa, ti chiedo almeno di evitare di scriverla, la prossima volta.

– Forse sei tu che potresti evitare di leggerla.

Aveva ragione. Ma fra noi ormai era cominciata, silenziosa, una guerra assassina. Io cercavo sul suo cellulare e sul suo diario le prove per potermi liberare o fidare di lui una volta per tutte, uscendo dalle sabbie mobili dell'ambiguità. Ma lui alimentava proprio quell'ambiguità non cancellando i messaggi più compromettenti e di volta in volta però sgridandomi per averli letti, e lo stesso faceva con i suoi appunti. In uno slancio di quelle che apparentemente sembravano dichiarazioni di fedeltà assoluta, un giorno mi aveva urlato in faccia anche la password per entrare nella sua casella mail.

– Lorenzo Ferri tutto attaccato chiocciola yahoo punto it, Hiroshima64, così sai tutto, vuoi deciderti a credere in me o no?

Ogni volta che mi chiedeva fiducia voleva darmi in realtà la possibilità di pentirmi per averlo fatto.

Era un gioco al massacro. Una lotta senza esclusione di colpi. Il limite della correttezza si spostava ogni giorno più in là. Ma non m'importava. Ero disposta a tutto per arrivare dove volevo io. Ci sarà un'entrata alla tua indifferenza, mi ripetevo, alle serate di gomma che passiamo fra persone che si aspettano tu dica certe cose e a cui tu allora dici la vita non ha senso e ridi e fai ridere loro per poi rimanere solo con me e dire la vita non ha senso e piangere e soffiarti il naso sul mio maglione, esisterà un passaggio segreto dove strisciare, strisciare, strisciare, irrimediabile come quello che ti influenza mentre non lo sai, e arrivarti finalmente dentro, nel sangue, definitiva come certe malattie. Per contagiarti proprio di quella che tu, da portatore sano, hai attaccato a me.

E allora, determinata e pazza, quando mi svegliavo andavo direttamente verso il suo cellulare ancora prima di mettere la macchinetta del caffè sul fuoco, e se trovavo il segnale che indicava un messaggio ancora da leggere non mi facevo alcun problema a leggerlo per prima. E magari a cancellarlo.

L'ha voluto lui, mi dicevo. L'hanno voluto loro.

Bambolotto, ci mandi un bacio sulla
pancia che cresce? Yours Gabri

Ma pensa. Tu ieri mi dici che continui a
sognare le mie caviglie e io indovina un
po' che parte di te ho sognato? F.

Grazie. Nessuno aveva mai fatto tanto
per me. Appena mi pagano te li
restituisco tutti, giuro! Sei
meraviglioso. Pat

Ce la fai a mandarmi il racconto per
l'antologia entro le sei?

I miss you too

Cenetta e allegati vari come ai vecchi
tempi? Da me alle nove. Ho
dell'erbetta tanto profumata da farti
assaggiare. Vale

Il credito sta per terminare. Ricarica
almeno *25* euro entro 48 h dall'invio
di questo SMS e avrai 48 MMS da
consumare in Italia entro 48 h

Buongiorno bambolotto. E BUONGIORNO
ANCHE A TE, LIDIA, GIOVANE LETTRICE DI SMS
ALTRUI. Gabri

– È un figlio di puttana, prima lo lasci meglio è. – Toni è il regista del mio programma. L'abbiamo inventato insieme, ma è stato lui a sbattersi per trovare una radio nazionale che fosse interessata a trasmetterlo. Siamo arrivati a Roma nello stesso periodo, lui da Napoli e io da Pescara. Ci siamo conosciuti in fila per iscriverci a quello che sarebbe stato per tutti e due il primo esame e abbiamo condiviso lo stesso appartamento praticamente da subito, finché a poche settimane dalla tesi lui una notte ha conosciuto uno svedese che gli ha detto io domani mattina torno a casa, perché non parti con me?, e Toni è partito. Si è messo a fare il cameriere a Stoccolma e dopo un paio di mesi ha convinto il capo del ristorante dove lavorava ad aprire una pizzeria e a darla in gestione a lui. Poi è stata la volta di una sauna a Milano, poi di un agriturismo in Sicilia. In qualunque progetto si lanci, riesce a farsi sempre sostenere da qualcuno e a dare a chi gli sta vicino la sensazione di partecipare a un'avventura imperdibile. Che quando comincia davvero lo annoia e fa continuare agli altri, senza di lui. Giura che con il nostro programma questo non succederà, perché lo sente come il figlio che io e lui avremmo potuto avere insieme, se io fossi stata uomo e gay o se lui fosse stato etero.

Non ha niente di effeminato, non un gesto, non un'ansia inutile, un motivo di divertimento, un desiderio. Gli piace raccontare di aver scoperto la sua omosessualità a cinque anni, durante un campo scuola organizzato dalla sua parrocchia. Di fatto non ha mai toccato una donna nemmeno per sbaglio. Ogni volta che litiga con il suo ragazzo di turno o con il padrone di casa, torna a stare qualche giorno con me. È l'unico uomo con cui posso dire di aver saputo convivere.

– Ti sta rovinando la vita, Lidia.

– Da quando lo conosco, invece, per la prima volta mi sembra che finalmente la vita tocchi a me. E comunque ho avuto tre ricoveri psichiatrici in nemmeno trent'anni, non mi pare ci sia molto da rovinare.

– C'è tutto da recuperare, però. E certo non puoi farlo con un tipo del genere.

– È una persona che sta male, Toni.

– Quei tipi lì io li conosco. I chiagn' e fott' li chiamiamo a Napoli. Bravi solo a piangersi addosso con la donna con cui stanno e a portarsi a letto tutte le altre.

– Siamo molto innamorati.

– Non farmi ridere. Quello sa amare solo se stesso. Perché non ti viene mai a prendere in radio, per esempio? Ti sembra giusto che una come te all'una di notte gli si consegni a domicilio?

– Sei antico.

– Ah, adesso i pezzi di merda li chiami moderni? Sai che cosa rischi, tu? Che con questa storia del rifiuto della famiglia borghese, per fare l'alternativa, ti prendi invece le cose peggiori della famiglia borghese, come tradimenti, ipocrisie e sotterfugi, senza prenderti nemmeno le cose buone, come, che ne so, un po' di protezione, ecchecazzo, un po' di complicità.

– Per favore, Toni.

– Per favore lo dico io a te, Lidia. Tu non capiti tutti i giorni. Sei la sola donna con cui non considero uno spreco passare il tempo. Puoi avere tutti gli uomini del mondo, sai fare le battute che le femmine di solito nemmeno capiscono. Sei il mese di ottobre del calendario di Intimissimi.

– Capirai.

– No no, io non capirò, capisco adesso. Quello lì mica è scemo. Prende tutto e non dà niente.

– Ti sbagli. Io gli devo moltissimo.

– Per esempio?

La luce di certe giornate invernali, la cipolla nell'insalata, la prosa di Ágota Kristóf, i contrasti delle fotografie di Walker

Evans, gli effetti della marea su un'isola thailandese, le scale di Viterbo.

Gli devo tutte le cose che ho imparato a guardare con la sua capacità di farlo.

Gli devo le magliette corte e i jeans stretti, perché prima di conoscerlo nemmeno il mio corpo mi era perfettamente chiaro, e lo portavo in giro sprofondato in pantaloni a palloncino e camicioni di due taglie più grandi della mia.

Gli devo Capri e Angkor Wat e San Liberato, tutti i posti dove siamo stati insieme – Milano, Teramo, Ostia Antica, Krabi, Bracciano, Fara Sabina, Parigi, Lecce, Terni, Spalato, Saigon, Venezia, Atene, Sulmona, Aosta, Matera, Palermo, Avellino, Civita Castellana, Real de Catorce, Napoli, Amsterdam, Ventotene, Livadi, Prato, Lugano, Batses, Torino, Lahina e poi non mi ricordo più, comunque glieli devo –, gli devo Roma.

Gli devo la differenza fra quello che è bello e quello che è brutto.

Il conforto di quella differenza.

Gli devo *Magic Kingdom* di Stanley Elkin.

I fuochi di Herzog.

Le galassie di Kiefer.

I fumetti di Julia.

Gli devo il fatto di essere stato il primo uomo a interessarmi anche dopo tre mesi. La mostarda sulla bistecca.

– ...mi chiamo Selena, telefono da Abano Terme, ho diciotto anni.

– Ciao Serena.

– No, non Serena: Selena. In greco vuol dire luna.

– Un bel nome per cominciare questa nuova notte insieme.

– Mmh.

– Allora Selena, dimmi tutto.

– Beh, insomma, oggi faccio tre mesi col mio ragazzo.

– Auguri.

– Grazie, ma c'è un problema.

– E qual è questo problema?

– Che i suoi amici mi odiano.

– E perché?

– Cioè, non è che proprio mi odiano. È che io vado al Tito Livio, che è il liceo classico più famoso di Padova, e siccome invece loro fanno l'alberghiero a Selvazzano dicono che sono una fighetta.

– Hai mai provato a parlarci?

– Ma come si fa? Me lo dicono dietro alle spalle, mica in faccia! È il mio ragazzo che me lo racconta.

– Potrebbe anche farne a meno, non credi?

– No, perché comunque l'ho capito anche da sola. Quando

arrivo io quelli cominciano a fare battutine e a parlare di cose che io non so.

– E il tuo ragazzo che cosa fa in quei momenti?

– Ride con loro.

– E tu come ti senti?

– Male.

– Questo gliel'hai mai detto così come lo stai dicendo a me, al tuo ragazzo?

– Certo che no!

– Perché?

– Perché farsi le paranoie è da fighetta. Poi così do ragione a loro.

Quello che mi impressionava era il completo disinteresse che faceva da spettatore al suo malessere.

Eppure il cellulare gli squillava di continuo, ogni sera era invitato ad andare da qualche parte, il suo nome era in cima alla lista dei ringraziamenti di tutti i libri degli scrittori più importanti del momento.

– Non è colpa degli altri, sono io che non mi confido con loro, – sosteneva, sempre più incline a barattare frustrazioni fra sé e sé che a farlo col resto del mondo. Le cui frustrazioni invece, ovviamente dipendevano da lui.

– Rovino tutte le esistenze che sono o entrano in contatto con me. Guarda i miei genitori. Professori universitari stimati da tutti, due belle persone. Che per figli infatti si meritavano i miei fratelli. Ma non uno come me. Uno che quand'era ragazzino li ha fatti solo preoccupare, che a quattordici anni è scappato di casa per la prima volta e non ha mai smesso di farlo, uno che oggi non ha nemmeno un posto fisso.

– Ma se tua madre si ritaglia tutti gli articoli che parlano di te e se li conserva! Hai due genitori pazzi di te, da qualche parte secondo me lo sai pure tu.

– E allora prendi Gabri. Avrebbe potuto avere una vita diversa se io non fossi mai esistito, me lo ripete in continuazione. Conta che per metà è americana ed è perfettamente bilingue: quando l'ho conosciuta aveva trent'anni, stava per laurearsi in Psicologia e magari a quel punto avrebbe potuto andarsene a fare un corso di sceneggiatura a Los Angeles, dice, o qualcosa del genere. Per colpa mia invece la sua carriera non è mai decollata, lei ha avuto un matrimonio a forma di centro sociale e adesso si ritrova in una situazione assurda.

– Dai, su. Se credi che qualcuno possa realmente distruggere o migliorare la vita di un altro allora comincia pure ad andare a messa la domenica. E poi vi sarete anche dati, mica solo tolti.

– Sì, è vero, a casa nostra c'era una festa ogni sera, succedevano un sacco di cose. Ma come ne possono succedere a Paperopoli. E nessuno, alla lunga, può vivere in un fumetto. A parte me.

Perché in effetti, uno a uno gli amici con cui era cresciuto, con cui aveva condiviso vacanze e aspettative, con cui aveva sognato di aprire un locale a Koh Phangan, al momento giusto avevano incontrato una persona, erano andati a vivere con lei, ci avevano fatto un figlio, erano entrati nel mondo una volta per tutte, insomma. Lo avevano tradito. Nei loro confronti Lorenzo esprimeva di volta in volta cieca ammirazione o cupo rancore.

– Ti rendi conto? Giorgio sta progettando un soppalco per l'arrivo del suo secondo figlio. Ecco cosa vuol dire essere un costruttore del reale. E non il suo pus, come me.

– Non farò come loro, non farò per niente come loro. Fino a ieri vi facevate le pere sul letto di casa mia, io mica me lo dimentico. E adesso guardali, Lidia. Un'armata del bene che spinge carrozzine e mi domanda se gentilmente posso andare a fumare la mia sigaretta in balcone.

Sosteneva che quando i suoi amici andavano a trovarlo per farsi una canna, cenare con una scatoletta di tonno, sindacare sull'insignificanza della vita come ai vecchi tempi, lo facevano tuttavia con la rete di sicurezza dei nuovi, che non garantiva loro più nessuno spunto interessante, nessuna emozione.

– Perché dopo qualche ora di vacanza dal reale nel Grand Hotel delle Illusioni Perdute che è per loro questo monolocale, ognuno torna alla sua illusione, alla sua famigliola. E lo fa solo perché deve, Lidia, perché ormai è in trappola. Credi a me. Se potesse, manderebbe tutto all'aria e capirebbe di aver fatto una stronzata. Casa per noi è sempre stato uscire nella notte tutti insieme. Nient'altro.

E invece adesso ognuno era costretto a considerare casa come casa propria, mentre lui riusciva perfino a vivere lontano dalla sua, sospirava, su un divano sporco di mestruazioni, libero di lanciare in aria una pallina anche per un giorno intero senza che nessuno gli desse un motivo valido per smetterla, di cenare con Nutella e amfetamine, di telefonare a Vento e chiedergli mi presti quei due dischi?, che potevano essere anche tre o quattro, dipendeva quanta roba gli servisse, se volesse fumarsela da solo o in compagnia.

– Basta saperle usare, certe sostanze.

A parte una quantità industriale di hashish, e dell'erba che ogni tanto fumavamo insieme, non usava mai nessun altro tipo di droghe in mia presenza. O almeno così sembrava. Ma io non ci capivo niente. Gli unici che consideravo davvero dei tossici erano quelli col cervello ormai completamente in panne che avevo conosciuto a Villa Maria Pia. Lorenzo continuava a scrivere saggi, veniva chiamato in tutta Italia per tenere conferenze, insegnava all'università. Che gestisse le droghe come a cena le persone fanno con il vino, bevendo quel tanto che basta per alleggerire la testa senza far sì che il giorno dopo pesi come un macigno, mi sembrava possibile. Meno, quando non lo vedevo per giorni e lo ritrovavo accartocciato ai piedi del letto. Quando non si lavava per settimane di fila. Quando una sera stavamo guardando la televisione e all'improvviso è schizzato in piedi dal divano e ha urlato scusi signore, stia attento a dove parcheggia la prossima volta. Senza poi riuscire a ricordarsene.

– Forse stai un po' esagerando.

– L'importante è non spararsi mai niente in vena. Ma che ne vuoi capire tu.

– Io niente, ma ieri mi ha telefonato tuo fratello, e mi ha detto che è molto preoccupato perché...

– Vuoi mettermi contro mio fratello?

– È stato lui a cercarmi.

– Forse perché vuole portarti a letto. Sua moglie è frigida.

– Dovresti parlarci.

– Con sua moglie? Dici che io ce la faccio a farle fare un paio di urletti?

Mi guardava con aria di sfida.

Era insopportabile.

La mia dannazione.

Il mio torturatore.

Il mio bambino dolcissimo in cerca di attenzioni.

Si incazzava solo quando parlava con me o con i suoi fratelli. Era come se le uniche persone che davvero gli volevano bene dovessero espiare la colpa di farlo. Doppiamente colpevoli se lui le ricambiava.

Aveva ovunque la fama dell'uomo mite e disponibile, e in effetti era sempre pronto a dare un consiglio di lavoro efficace o a confortare un amico abbattuto da un insuccesso. Non lo sentivo mai fare commenti anche solo vagamente dettati dall'invidia o dal rancore, e non se la prendeva mai con nessuno. Mi sembrava superiore rispetto a tutte le recriminazioni, le meschinerie e i ricatti sotterranei che fanno del mondo il posto peggiore in cui trattenersi a lungo. Ma nel frattempo accumulava odio e rabbia come in una montagna enorme d'immondizia, senza decidersi mai a passare allo smaltimento dei rifiuti. Così chi gli stava accanto – senza accorgersene e senza averne alcun diritto, come facevo io per prima – si ritrovava a gestirli al posto suo, quell'odio e quella rabbia. E a indirizzarli un po' dove capitava.

– Possibile non ti sia dispiaciuto nemmeno un po' quando tua moglie ti ha lasciato per quella tizia? – lo provocava suo fratello.

– Ma che male c'è? Le andava di fare così e l'ha fatto, – rispondeva lui.

– Possibile che non ti ha fatto rodere il culo la stroncatura di quel tipo che hai fatto assumere tu al giornale dove scrive? – lo incalzava sua sorella.

– Cose che capitano.

– Non ti va di tornare a stare a casa tua?

– Ogni tanto, ma per ora sto bene così, questa tana è lurida proprio come me, mi somiglia, mi piace.

Non c'era verso, per chi lo amava, di scoprire cosa realmente provasse. E a lungo andare mi rendevo conto che non c'era verso nemmeno che lo scoprisse lui e che anzi, se quanto gli passava per la testa evitava di dargli troppe informazioni era meglio. Mi ricordava la profezia che fa Tiresia quando la madre di Narciso gli chiede come sarà la vita di suo figlio, e l'indovino le risponde che il ragazzo potrà essere felice a patto che non conosca mai se stesso. Una mancanza di consapevolezza come elisir di lunga vita, insomma.

– Non esiste soluzione a nessuno stato d'animo, a nessun problema, a nessuna condizione. Esiste solo l'oblio. Il mondo è il sogno di un ubriaco.

Anche nei miei confronti ostentava la stessa indifferenza. Non si ricordava quand'era il mio compleanno, non ascoltava il mio programma, s'inventava sempre scuse per non accompagnarmi a Pescara e conoscere i miei genitori. Dove tutti gli uomini che avevo incontrato prima di lui avevano passato notti intere ad ascoltare la storia della mia vita per interpretare le ragioni dei miei ricoveri, Lorenzo nemmeno era curioso di sapere cos'avevo fatto nel pomeriggio.

– L'anoressia è solo una delle tante forme della stupidità borghese unita a quella femminile.

– Ma non conta la malattia che ha avuto una persona, secondo me conta con chi la malattia ha avuto a che fare.

– E questa chi te l'ha detta, l'analista? Guarda, per i miei gusti ne abbiamo già parlato troppo. Sappi che non ho nessuna intenzione di stare a sentire ogni giorno il bollettino di quello che hai mangiato e di quello che hai vomitato. Dunque vedi di non rompere i coglioni se vuoi stare con me. E non lo dico come potrebbe dirlo qualcuno che in realtà sta cercando di aiutarti. Toglitelo dalla testa. Certe cose proprio non mi interessano.

Era vero. Di me sapeva pochissimo e sembrava non voler capire niente. Ma in certi momenti, all'improvviso, con lo slancio dell'intuizione di un dio bambino arrivava oltre.

– Le anime investigative come la tua sono anime salve, ma condannate. Qualcuno quand'eri piccola deve averti fatto molto male e tu chissà perché ti sei messa in testa che avresti potuto evitarlo, come se non fosse proprio il male, il tessuto di tutte le cose.

E subito dopo ricominciava con i discorsi di sempre. Mettiti tranquilla, mi diceva. Abbattiti. Vota al cinismo e alla disfatta tutto quello che pensi di dover pensare.

Ma io non penso di dover pensare proprio niente, mi difendevo, e allora lui mi faceva il verso con la voce di Stanlio, lei non pensa di dover pensare proprio niente, diceva, e un po' mi veniva da ridere, un po' da incazzarmi, ma quasi sempre da ridere. E facevamo l'amore. E ci guardavamo fissi. E ci promettevamo di non litigare più, perché insieme stavamo troppo bene quando stavamo bene.

– Ti amo, vecchio Stitch.

– Ti amo, piccola Lilo.

Gli unici paragoni che ci sembravano fare al caso nostro erano quelli con i personaggi dei cartoni animati. Nel suo immaginario Lorenzo era il pesce giallo e blu ferito nell'acquario dove va a finire il piccolo Nemo, era Spugna l'aiutante di Capitan Uncino ed era Scar, lo zio cattivo del giovane Re Leone, mentre, sempre secondo lui, io ero il piccolo Nemo, il giovane Re Leone ed ero Wendy, che sa volare sull'Isola che Non C'è ma può anche tornare a casa – questa la sua tragedia, questa la sua fortuna, diceva.

Eravamo Lilo e Stitch.

– Una bambina delle Hawaii sola al mondo e un mostro orribile programmato per distruggere, ma che insieme imparano che 'Ohana vuol dire famiglia.

E famiglia, dice Lilo, vuol dire non venire abbandonato.

O dimenticato.

– ...fa niente se non mi va di dire qual è il mio vero nome?

– Certo.

– Diciamo che mi chiamo Francesco.

– Diciamolo.

– Perfetto. Ho telefonato perché sono rimasto scandalizzato dall'ascoltatrice che ha chiamato prima, quella che sosteneva di essere rimasta incinta tre volte ma di aver sempre abortito per quella paura lì, com'è che l'ha chiamata?

– Fetofobia.

– Ecco, fetofobia. Per carità, ognuno ha i suoi problemi, io non mi metto a giudicare nessuno, però mi sembra un po' ingiusto che lo Stato e la sanità in Italia danno una mano a chi può avere figli ma non vuole averne e invece se ne fregano di chi vuole averli e non può. C'è una coppia di miei amici gay, per esempio, che lo sai che cosa ha fatto?

– Cosa?

– Stanno insieme da quindici anni e nessuno più di loro ha tutte le carte in regola per diventare genitore.

– Hai l'aria di conoscerli bene.

– Immaginiamo che io sia uno di loro.

– Immaginiamo.

– Perfetto. Un giorno scopriamo che esiste una comunità di mormoni, in America ma non mi va di dire precisamente dove, una comunità di mormoni dissidenti, dicevo, che mette gli ovuli e gli uteri delle sue donne a servizio della fecondazione artificiale per coppie omosessuali che vogliono un figlio. Li abbiamo contattati e ci hanno invitati lì, per scegliere l'ovulo. La donna, insomma. Le donne, a essere esatti. Per quanto riguarda l'utero abbiamo avuto qualche indecisione, ma fatto sta che fra un mese nascerà il piccolo Steve e io e il mio compagno ce lo andremo a prendere.

– Sempre immaginando che il protagonista di questa storia sia tu, Francesco, non avete avuto problemi, tu e il tuo compagno, a decidere chi di voi due fosse destinato a diventare il padre naturale di vostro figlio?

– Vedi, Lidia, io e il mio compagno siamo tutti e due biondi, con la carnagione chiara, gli occhi scuri, insomma ci somigliamo al punto che sarà difficile stabilire con esattezza di chi siano i cromosomi del bambino.

– Scusa se insisto, Francesco, ma almeno voi dovreste sapere chi dei due, anche se per vie traverse, ha fecondato quella donna, insomma, l'ovulo: no? Come funzionano queste cose lo sanno pure i bambini delle elementari, con la storia del fuco e dell'ape regina.

– I maestri delle elementari hanno poca fantasia.

– In che senso?

– Hai presente Tom Cruise in *Cocktail?*

– E allora?

– E allora noi abbiamo fatto uno shake.

Molte donne con cui era stato volevano un figlio da lui, ma Lorenzo non se l'era mai sentita.

Con qualcuna ci aveva provato ma non ci erano riusciti.

La moglie del maestro di respirazione aspettava con Gabrielle due gemelle da suo marito, ma il vero padre di quelle figlie in qualche modo sarebbe stato Lorenzo.

Con la nascita di quelle bambine Lorenzo e Gabrielle si sarebbero separati una volta per tutte.

Io ero la prima donna con cui Lorenzo non avrebbe vissuto come una tragedia avere un figlio.

Comunque sarebbe stato molto difficile che Lorenzo mettesse incinta una donna.

Comunque sarebbe stato impossibile.

Fra tutte le bugie pronte per l'uso di una verità troppo scomoda da accettare, le infinite versioni del figlio che non aveva mai avuto e di quello che un giorno avremmo potuto avere insieme erano le più pericolose in cui addentrarsi.

Ti bruciava la testa, a stargli dietro. Erano attentati continui al bisogno che avevo di placare l'ansia, capire. Voler ricostruire com'erano andati i fatti in quel caso era semplicemente impossibile.

Perché era quello, il punto.

Quello, il nervo scoperto.

Il problema.

L'anello debole che avrebbe spezzato la catena.

Avere un figlio. Concepire. Concepirsi. Svolgersi. Non ricominciare tutti i giorni lo stesso giro sulla giostra dei propri fallimenti.

– Io non so accudire niente, Lilo, come potrei occuparmi di un bambino, me lo spieghi? Lo vedi come vivo, come striscio da una giornata all'altra, mi immagini a fare il padre? – Mi domandava di tanto in tanto, all'improvviso.

– Ma non credo che esista un modo solo per...

– No, no, ti prego, non mi dire quella cazzata che ognuno può fare le cose a modo suo perché non ci credo.

Non intendevo dirgli quello, ma non perdevo tempo a puntualizzare: su quest'argomento Lorenzo era sordo a qualsiasi spunto di riflessione, il resto del mondo non poteva dimostrargli niente, era una questione fra sé e le sue paure più profonde, fra sé e l'immagine di sé che da sempre si portava appresso.

Era il suo incubo più insistente.

Quando prima di dormire andavo in bagno per lavarmi i denti, mi arrivava alle spalle come un avvoltoio e cominciava a dirmi lo vedi? io non sono come voi, non sono per niente come voi, bravi soldatini del reale che la sera usate il vostro spazzolino e poi vi mettete a fare la ninna fiduciosi di esservi meritati il vostro posticino in un futuro pieno di speranze, di biberon, di dolci abitudini familiari del fine settimana.

Non sono per niente come voi.

Che rinunciate senza battere ciglio alla vostra libertà, al vostro tempo, che rinunciate ad andare a una festa per mettere a letto un mostriciattolo che ha bisogno di voi pure per respirare, che rinunciate a quello che eravate, a quello che potevate diventare.

Non sono per niente come voi, ripeteva fra sé e sé, quando per strada o a casa di amici o perfino in televisione vedeva un qualunque bambino dormire o mangiare, dire alla mamma – o peggio ancora al papà – mi scappa la pipì.

– Non sono per niente come voi. – E se ce l'avesse davvero con i genitori di quei bambini o invece con quei bambini stessi, veniva da chiederselo.

Piccolo Feto
Fai la tua scelta
Piccolo Feto
Non aspettare
Piccolo Feto
La vita è bella
Piccolo Feto
Non ti drogare.

Spesso canticchiava una filastrocca che faceva più o meno così. Ogni volta si inventava una strofa nuova, ma il senso era quello di un inno sarcastico alla vita e alle sue responsabilità che cantava a se stesso per sfoderare in faccia a me quanto poco c'entrasse lui con i comandamenti di un'esistenza che mirasse a una qualche conquista, votata a un'idea positiva o quantomeno possibile del divenire.

Voleva farmi ridere e ci riusciva.

– Lo vedi che allora lo sai anche tu che uno come me non potrà mai costruire niente? Che ti viene da ridere solo all'idea?

– Non è mica detto che...

– Sì, sì, adesso mi dirai che esiste la possibilità di fare le cose che fanno tutti gli altri ma a modo proprio, e questo fa la differenza, ma, mia piccola innocente Lilo, un attimo prima di diventare tutti gli altri, ognuno pensava di poter essere qualcosa di diverso.

Niente, non c'era possibilità di intervento.

Non c'era spazio.

Non c'era verso che se ne rendesse conto. Del fatto che

c'ero. Che proprio mentre si malediceva per non saper costruire niente, lo stava facendo con me.

Stavamo costruendo qualcosa. Possibile che non se ne accorgesse?

Magari non lo facevamo sulle note trionfanti di una marcia nuziale, certo. Ci limitavamo a farlo su quelle di *Piccolo Feto.*

Pensavo valesse comunque.

Lui no? Davvero?

Certo che lo pensava anche lui, mi dicevo, quando il venerdì sera salivamo in macchina e andavamo a rifugiarci in Umbria, dove la sua famiglia aveva una piccola casa nascosta nella campagna di Terni, faccia a faccia con il lago di San Liberato e i suoi silenzi.

Lo pensava anche lui, quando ci arrampicavamo sulla collina di San Liberato e guardavamo l'inverno diventare primavera e la primavera estate, mentre l'azzurro del lago si faceva più profondo.

Lo pensava, quando la domenica ci raggiungevano anche i suoi fratelli e il suo nipotino lo prendeva per mano e gli chiedeva zio Lollo mi compri un gelato? e lui lo guardava confuso e rapito e gli rispondeva andiamo, ma viene pure zia Lidia.

Lo pensava, mi dicevo.

Anche se nella notte piangeva forte ho paura di vivere ma anche di morire, niente potrà mettermi in salvo, niente.

Anche se un giorno sì e l'altro pure Gabrielle lo chiamava e gli diceva mi sa che sono arrivate le doglie, siamo sole a casa e non abbiamo la macchina, corri qui?

Anche se continuava il nostro scontro sotterraneo a colpi di pagine di diario e di messaggi sul telefonino lasciati lì come una trappola perfetta in cui la mia paura di venire abbandonata puntualmente cadeva.

Ti bacio lì, dove se mi ricordo bene più
ti piace. Anna

TIM Servizi di Segreteria Telefonica. La
sua Segreteria Telefonica contiene 2
nuovi messaggi. È possibile chiamare il
49001 per ascoltarla.

Festa sulla spiaggia per i miei
quarant'anni. Musica e melanconia
garantite. Che fate tu e Gabri, venite?

Bambolotto, ci porti una vaschetta di
gelato? I gusti li sai. Yours G.

Ma quando eravamo in campagna tutto sembrava più facile.

Lontani da Roma, perfino l'alito pesante del senso di colpa per tutti i mali del mondo che gli si appiccicava addosso si faceva respirabile.

Toni alla fine in qualche modo si era affezionato a Lorenzo. Come tutte le persone che mi volevano bene e mi avevano scortato da un ricovero in clinica all'altro, riconoscevano a quella mia storia d'amore tutta storta il merito di avermi in qualche modo sottratta o quantomeno distratta dalla lotta senza regolamenti che per più di dieci anni si era combattuta dentro di me, a mie spese, senza che io potessi mai intervenire. Da quando stavo con Lorenzo, forse addirittura grazie alla sua indifferenza verso il mio rapporto malato con il cibo, per la prima volta riuscivo anch'io a concentrarmi meno su quell'ossessione.

Che come tutte le ossessioni, per sua stessa natura, solo se indisturbata poteva andarsene: di soppiatto, così come era arrivata.

Se ci era voluta una gita turistica in un'altra forma di disperazione per abbandonare la mia, i miei amici e i miei genitori erano perfino disposti a salutare con un certo entusiasmo quella gita.

Basta che fai in fretta, però, aggiungevano tutti.

Basta che prima o poi esci anche da questa specie di anticamera della vita com'è per davvero, e finalmente ti ci butti.

– Ma la vita com'è per davvero io la voglio solo se c'è Lorenzo.

Spiegavo a Toni, che dopo le sue resistenze iniziali mi capiva sempre un po' di più, fino ad arrivare a insistere per accompagnarci all'aeroporto il giorno della nostra partenza per la Thailandia.

Fate i bravi, si era raccomandato Toni, non litigate e se scoprite che non è vero che gli asiatici ce l'hanno piccolo portatemene uno in regalo.

Avremmo passato in Thailandia tutto il mese di agosto.

Avevamo lasciato a casa i cellulari e finalmente c'eravamo solo noi due e ci raccontavamo tantissimi segreti e facevamo l'amore da tutte le parti e mangiavamo tagliolini di soia fino a sentirci male, per la prima volta ci sembrava possibile che una giornata potesse bastare a se stessa, senza pagare una tassa agli errori di quelle che erano venute prima, alle incertezze di quelle che sarebbero venute poi.

Lorenzo era davvero lì con me. A tenermi la fronte una notte in cui continuavo a vomitare verde, a discutere se incidere le nostre iniziali in ogni bungalow dove dormivamo fosse didascalico, a essere didascalico, a chiedermi non sei d'accordo?, perché secondo lui se fosse stato concepito proprio allora proprio lì, nostro figlio qualche stratagemma per essere felice un domani l'avrebbe trovato.

Fu un mese di continue prime volte.

E in aeroporto ecco di nuovo Toni, che voleva chiedere e sapere e raccontare mi sono chiuso un fine settimana intero in un motel con un marinaio di Salerno, la Lazio si è comprata Rocchi, il rubinetto della doccia perde e quanto quanto quanto mi siete mancati, pure tu Lorenzo, ti dirò, pure tu.

Ridevamo, in macchina, tutti e tre.

Il mio problema più grande in quel momento era se Santi, il gibbone che avevamo adottato a distanza nella riserva naturale di Khao Phra Taew, sarebbe prima o poi riuscito a mangiare senza l'aiuto dei volontari.

Eppure la fine era vicinissima.

E a me sembrava impossibile.

Quel giorno di fine estate, in macchina, di ritorno da Fiumicino.

Pochi mesi prima dello Tsunami.

Poche settimane prima di una mattina in ospedale, a farmi ricucire il mento.

Quando il Sud-Est asiatico stava ancora lì tutto intero.

E la nostra storia anche.

...mi scuso con te e con gli ascoltatori se ho usato parole un po' pesanti, Lidia, in definitiva con la mia storia volevo solo dimostrare che questa roba vischiosa chiamata grande amore forse si riduce solo a un equilibrio precario di malintesi.

Lorenzo che mi chiede aiuto, che mi dice resta, che mi urla vattene.

Nascono le figlie della moglie del maestro di respirazione.

Lorenzo che sparisce per una settimana.

Che torna e ancora mi chiede aiuto, ancora mi dice resta, mi urla vattene.

Lorenzo mi urla resta.

Mi dice vattene.

Parte e va a Procida per partecipare a un convegno.

Torna.

Mi dice vattene.

Resta.

Mi telefona e mi dice lo so che ti ho chiesto di restare, ma stasera forse è meglio che non vieni da me, perché ho una cena di lavoro e ne avrò per molto, ci sentiamo domani, ti amo.

Ma io non riesco a dormire, perché Lorenzo non dice mai ti amo di sua iniziativa.

– Al massimo lo dice perché glielo dico io, perché deve, Toni lo so che sono le tre di notte ma ti prego, accompagnami da lui.

Toni passa a prendermi.

In macchina rimaniamo in silenzio.

Entriamo nel monolocale.
Ci investe un tanfo terribile di colla bruciata.
Lui è lì.
Nudo, sul divano.
È lì anche lei.
Nuda, sul divano.
Dormono.

La porta che si apre e si richiude alle nostre spalle non basta per svegliare Lorenzo.

Si sveglia lei. Una ragazza con i seni pesanti, i capelli biondi e lunghi, la faccia disfatta dal trucco sciolto della sera prima. Rovi di spine le corrono tatuati lungo le braccia.

– Oddio, ma voi chi siete? – ci domanda, divertita, appena ci vede.

Io non so più come si fa a parlare. Non so più come si fa a fare niente. Toni mi dice andiamo via. Lei capisce, scuote Lorenzo che nel frattempo continua a dormire con la bocca aperta, le palle all'aria.

– Non è colpa mia se sono una ragazza caruccia! – si mette a urlare.

Mi sa che comincio a piangere.
Che gli butto addosso le sue chiavi di casa.
Le mie, chiavi di casa.
Lorenzo si sveglia.
Ci mette un po' per mettere a fuoco la scena.
La bionda gli dice prendila a ridere, Lorenzo.
Io non so più come si fa a dire qualcosa.
Mi sa che continuo a piangere.
Toni mi ripete andiamo via.
La bionda ripete a Lorenzo prendila a ridere.
Lui non guarda Toni, non guarda la bionda, non guarda me.
Sceglie sul soffitto un punto a caso da fissare.
Toni mi tira per il braccio fuori di lì.

Mi sa che continuo ancora a piangere.
Che non vedo dove metto i piedi.
Che inciampo per le scale.
Che rotolo giù.
Perdo conoscenza.
Mi risveglio con la bocca piena di sangue.
Toni grida aiuto.
Lorenzo ci raggiunge per le scale.
È ancora nudo.
Chiede a Toni che è successo.
Toni gli dice si è spaccata la faccia, portala in ospedale.
Mi sa che riprendo conoscenza.
E che ricomincio a piangere.
Lorenzo mastica qualcosa del tipo mi faccio un caffè e ce la porto fra un attimo.
Toni gli dice adesso.
Lorenzo mastica qualcos'altro.
Non vorrei sbagliare.
Ma mi pare chieda a Toni e con Olimpia che faccio, le dico di venire con noi?

Hiroshima64.
Non ero mai entrata nella sua casella mail fino a quel momento, ma era l'unica possibilità che mi rimaneva per capire cosa fosse successo.
Cosa stava succedendo.
Per capire perché non mi aveva cercato quella sera stessa per dirmi guarda che non è come pensi, per chiedermi come stai.
Perché non mi aveva cercato il giorno dopo, perché non mi aveva cercato più.
Alla fine in ospedale mi ci aveva portato Toni. Ero rimasta stesa su una barella più di tre ore prima che toccasse a me e ci erano voluti sette punti per ricucirmi il mento.
– Ti è andata bene che non ci hai rimesso i denti, – mi

aveva detto il medico, – ma la prossima volta stai attenta a metterti i tacchi se non li sai usare, non immagini quanti incidenti come il tuo succedono tutti i giorni.

Toni si era trasferito a stare da me per un po'. Non avrebbe detto a nessuno com'era andata veramente quella notte se io gli promettevo che da quel momento in poi non avrei più visto né sentito Lorenzo.

Mentre mi parlava io vedevo le sue labbra muoversi ma non riuscivo ad ascoltare che cosa mi stesse dicendo. Non riuscivo ad ascoltare più niente.

– Cazzo, Lidia, non ti basta quello che ti ha fatto?

Insisteva Toni. Ma no, quello che mi aveva fatto Lorenzo non mi bastava. Non mi bastava quello che avevo visto a casa sua e non mi bastava quella cosa molle, gonfia e blu che vedevo al posto del mio mento ogni volta che mi guardavo allo specchio. Non ancora. O meglio, al momento c'erano cose più importanti a cui pensare.

Capire che cos'era successo.

Che cosa stava succedendo.

Lorenzo Ferri tutto attaccato chiocciola yahoo punto it. Hiroshima64.

------------------------ Original Message ------------------------

>From: dancerinthedark@email.it
>To: lorenzoferri@yahoo.it
>Sent: Sunday, September 26, 2004 8:57 PM
>Subject: R: una notte fa

>Accidenti!!!
>Ho ricevuto una mail da un vero scrittore! Non kapita
>tutti i giorni. Cmq mi hai solo preceduto, anke io ti avrei
>scritto, anzi, ho acceso il computer proprio per farlo.

>E l'avevi già fatto tu!
>Pazzesco. Ma è tutto pazzesco, in questi giorni.
>Già mi sembrava il massimo kuando la mia amica
>sabato alla festa è venuta da me e mi ha detto ke era
>arrivato IN PERSONA Lorenzo Ferri, quello ke ha
>scritto kose cm IL FIDANZATO DI MIA MADRE! !!!!!!
>Io bruciavo dall'emozione, mi sono fatta coraggio e
>sono venuta a presentarmi, pensando ke magari mi
>crollava un mito e ke tu eri il solito stronzo montato.
>E invece tu sei tu! E mi hai kiesto se potevi provarci
>cn me!!!!!!!!!
>Ecco, anke per questo volevo scriverti: perkè quella
>sera a Procida non ti ho risposto, ma se non fosse
>ancora kiaro, voglio farlo ora.
>NON SMETTERE MAI DI PROVARCIIIIIIIIIIIIIIII.
>Hai capito??? In trentasei anni ho avuto sette miliardi
>e mezzo di uomini ma mai ho provato quello ke ho
>provato stanotte cn te.
>Grazie x avermi invitata subito a venire a Roma, grazie
>x la pasta col pesto buonissima ke mi hai cucinato,
>grazie per quello ke sei e... dimentico qualcosa???
>ma sì, grazie anke x quanto ce l'hai grosso! !
>Una fantanarkica cm me e uno skoppiato cm te erano
>fatti per doversi incontrare, prima o poi!!!!!!!!!!!!!!!!
>Ferri, l'hai capito o no?! !???
>SONO TROPPO FELICE DI ESSERE LA TUA DONNA!!!!!!
>Però una cosa me la devi promettere.
>Fare quelle cose brutte e kattive cn te stanotte è stato
>meraviglioso. Ma dobbiamo darci una regolata. Io nn
>sono una ragazzina ke siccome i genitori si divorziano
>fa i capricci e diventa anoressika.
>Non sono una giovane groupie che ti porti
>in Thailandia per farti ogni sera una striscia in cesso
>mentre lei dorme e non si accorge di un kazzo.

>Io sono una donna. Vivo da anni in giro dove capita, il
>mondo lo conosco.
>E voglio ke tu smetti di farti per due motivi: il primo
>sono io, il secondo sei tu. Dunque quando vieni a
>trovarmi domani a Procida (ankora non mi pare
>vero... Lorenzo Ferri viene a passare il weekend nella
>mia villa... aiutooooo...... farà il bagno nella mia
>piscina.... non ci credoooo...) portami un po' di roba
>buona, ma non tantissima.
>Poi ricordati una copia di TUTTI i libri ke hai scritto, la
>mozzarellina speciale e quel cd di Aphex Twin che
>abbiamo ascoltato tutta la notte e voglio masterizzarmi.
>Ma puoi anke dimenticarti tutto se non ti dimentiki di
>portarmi te.
>Tua
>Principessa Scintillante che Balla nell'Oscurità
>(mi piace!!!!)

------------------------ Original Message ------------------------

>From: lorenzoferri@yahoo.it
>To: dancerinthedark@email.it
>Sent: Sunday, September 26, 2004 6:23 PM
>Subject: una notte fa

>Ti ho accompagnata in stazione mezz'ora fa e già mi
>manchi.
>Volevo dirtelo. E dirti che erano almeno tre anni che
>non mi sentivo tanto bene.
>Da quando è cominciato a franare il mio matrimonio
>per la prima volta penso di avere un'altra possibilità di
>stare con una donna.
>E quella donna sei tu, Olimpia, creatura incredibile.

>Questo nostro incontro è come una bolla di sapone,
>tanto più bella quanto più rischia di scoppiare da un
>momento all'altro.
>Domani ti raggiungo subito, non resisto.
>Ti porto la mozzarellina speciale dell'alimentari sotto
>casa mia e tutto quello che vuoi.
>Pensati sempre pensata da questo vecchio topo di
>fogna che una Principessa Scintillante che Balla
>nell'Oscurità stanotte ha fatto sentire degno di stare al
>mondo.
>Tuo,
>Lorenzo.

'Ohana vuol dire famiglia. E famiglia, dice Lilo, vuol dire non venire abbandonato. O dimenticato.

Ecco, cos'era successo.

Adesso sì che mi poteva bastare.

Ero stata abbandonata.

E dimenticata.

– Ciao Lidia, mi chiamo Rosa, ho cinquantanove anni e chiamo da Augusta.

– Ciao Rosa.

– Dunque, io volevo dire che so cosa significa questa cosa che chiami ricominciarsi.

– Raccontaci la tua esperienza.

– Beh, ecco, a un certo punto della vita mi sono trovata sola. Dopo una lunga malattia mio marito è morto, i miei figli nel frattempo sono diventati grandi e ognuno è andato per la sua strada. Io mi sentivo persa. Non sapevo più nemmeno se continuare a credere in Dio o no.

– E invece?

– E invece proprio la fede mi ha salvata. Ho cominciato a seguire gli incontri di preghiera e riflessione che la mia parrocchia organizza una volta a settimana. Non solo mi sono riconciliata con il Signore, ma ho trovato anche tanti nuovi amici. Abbiamo messo su un coro, spesso facciamo delle gite tutti insieme dalla mattina alla sera o rimaniamo fuori per il fine settimana. Ci divertiamo così tanto. L'altra domenica abbiamo organizzato una lotteria e abbiamo ricavato quasi cinquecento euro. Così quando don Antonio va a trovare i bambini poveri in Uganda glieli porta.

Chi mi voleva bene era preoccupato dalla possibilità che la fine così traumatica della mia storia con Lorenzo potesse portarmi di nuovo dritta in una clinica psichiatrica e che tornassi a ripararmi sotto l'ala protettiva di vecchi comportamenti.

Successe esattamente il contrario.

Spaccarmi il mento era stato una specie di battesimo. Era come se da quel momento in poi non potessi più tornare indietro: ormai c'ero, partecipavo anch'io ai giochi di quello che può riservare la vita, ero a sua disposizione.

Non ero più la sola a potermi umiliare o a scegliere di non farlo.

I fatti avevano trovato il modo di riuscirci meglio di me. Se concedevo loro spazio, anzi, avevano dimostrato di avere perfino una certa fantasia, nel decidere come farmi male e come – con chi – farmi stare bene.

Ancora non lo sapevo, ma da quel momento in poi, lentamente e progressivamente, avrei rinunciato per sempre al mio sforzo disperato di controllare il cibo e gli umori degli altri e le loro espressioni e quello che non sapevo, il mondo.

Se le cose che mi succedevano ormai avevano il potere di farmi finire in ospedale, tanto valeva che smettessi di farlo io.

Strano.

Negli anni passati a entrare e uscire da Villa Maria Pia

avevo sempre fantasticato sulla mia guarigione immaginandola come un'entrata trionfale nel mondo reale.

Dove invece ero entrata ruzzolando dalle scale.

Col mento spaccato.

Il momento peggiore era quello del risveglio.

Che avessi avuto l'incubo in cui rivivevo la scena di quella notte o un sogno in cui quella notte non era mai esistita e io e Lorenzo continuavamo a stare insieme più felici ancora di quanto eravamo mai stati nella realtà, affrontare la giornata a quel punto mi sembrava già completamente inutile.

Mi trascinavo fino al bagno e ancora prima di bere un caffè o mangiare qualcosa mi aggrappavo al water e vomitavo succhi gastrici e materiale onirico.

Poi mi sedevo al computer. E mi collegavo alla casella mail di Lorenzo.

Dove rimanevo per tutto il giorno, fino a quando non arrivava il momento di andare in radio. Anche lì, prima che cominciasse la diretta, facevo un altro salto su Yahoo, per vedere se nel frattempo era successo qualcosa di nuovo. Erano gli ultimi, grotteschi tentativi di continuare a difendermi mortificandomi da sola.

Studiavo le sue comunicazioni di lavoro, stampavo gli allegati in cui spediva i suoi pezzi al giornale, leggevo perfino il suo spam.

Olimpia gli scriveva tre volte al giorno lettere lunghissime, e io le imparavo a memoria riga per riga.

– Toni, secondo me questa se la sposa e ci fa un sacco di bambini.

– Per favore, Lidia.

– Ascolta qui! Stanno insieme solo da una settimana e lei già gli scrive che la prossima volta che lui va a Procida vuole organizzare una festa per fargli conoscere tutti i suoi amici!

– Vuol dire che non scopano bene, altrimenti vorrebbero rimanere da soli.

Qualunque tentativo di farmi ragionare era vano.

Mi ero messa in testa che Lorenzo avesse trovato la persona giusta e con lei il modo per farcela, per togliersi di dosso il peso di tutta la sua disperazione.

In ogni riga di quello che riceveva o che spediva cercavo una traccia di questa capacità di vivere riconquistata.

Finché una mattina, dopo un mese passato interamente su quella casella mail, l'accesso mi era stato negato.

Password non valida, mi aveva informato il server di Yahoo, hai dimenticato la tua password?

Magari avevo sbagliato a digitarla.

Hiroshima64.

Password non valida, hai dimenticato la tua password?

No, non l'avevo dimenticata.

Ma ero stata scoperta. Lorenzo mi conosceva bene, sapeva che leggere la sua corrispondenza sarebbe stato un modo come un altro per non perderlo del tutto e aveva deciso di liberarsi definitivamente di me. O magari permettere a me di liberarmi definitivamente di lui. È andata certamente così, mi dicevo. Sta passando un periodo talmente bello che adesso trova perfino il tempo per preoccuparsi degli altri, di me.

Solo più tardi sono venuta a sapere che era stato Toni a telefonargli e a chiedergli di cambiare password. E che lì per lì a quella richiesta Lorenzo aveva risposto: – Ti ringrazio per l'informazione, ma non ti preoccupare, se Lidia si diverte a me non dà nessun fastidio. – Senza arroganza, ma con quella sincera incapacità d'attenzione a quanto non lo riguardava personalmente che quando non ne ero stata io la vittima mi aveva incantata. (Lorenzo che al cinema mi dice usciamo perché se non posso identificarmi in nessuno dei personaggi mi annoio troppo, Lorenzo che si addormenta guardando la finale degli Europei di calcio, Lorenzo che non parla mai male di nessuno e giustifica tutti, Lorenzo che presta soldi in giro e non li chiede indietro mai, che li chiede in prestito e non li restituisce, Lorenzo che incrocia per strada una donna con cui è stato e che ha lasciato da un giorno all'altro e si domanda ma perché non mi saluta più.)

Comunque fossero andate le cose, perdere la chiave che avevo a disposizione dell'ultima entrata di servizio alle sue giornate era stato un bene.

Ed era un bene anche quello che mentre stavamo insieme avevo sempre considerato un male, quello di vivere in quel quartiere arancione e rosa che gli faceva schifo, sempre lontano da tutto, adesso dalla possibilità di incontrarlo per caso.

Ce l'avevo addosso da tutte le parti, come un tumore. Non alimentare quella malattia con nuove immagini e nuovi spunti di riflessione su di lui magari mi avrebbe fatto guarire prima.

Almeno così sostenevano i miei ascoltatori: perché avevo perso qualsiasi freno inibitore e avevo cominciato a chiedere consigli personali anche a loro.

Che lì per lì mi irritavano. Mi sembravano semplificare, parlare per luoghi comuni.

Ma stare male per amore è una semplificazione.

Ce l'ha come sfondo, il luogo comune.

E allora è vero che a quel punto bisogna ricominciare da sé.

Buttarsi sul lavoro.

Uscire, vedere gente.

Iscriversi a un corso di tango.

Partire.

Pensare al tradimento come a un'informazione su chi ce lo ha inflitto, non come a una conferma di quanto ce lo meritavamo noi che l'abbiamo subìto.

Pensare all'abbandono come a una possibilità.

È tutto vero.

Anche se pensiamo che nessuno può capire quello che stiamo passando perché nessuno è speciale come noi e nessuno, soprattutto, ha mai incontrato qualcuno speciale come la persona che avevamo incontrato.

– A meno che non ci serva come alibi per qualche nostra incapacità personale, la sofferenza per amore ha una quantità finita, – aveva sentenziato un giorno una sessuologa che avevo coinvolto in una delle tante puntate mandate in onda a uso e consumo di quello che stavo passando.

Non ho mai smesso di pensare che Lorenzo mi fosse necessario.

E non l'ho mai odiato per il fatto che evidentemente io non ero necessaria a lui.

Però lentamente ho cominciato a districarmi da quella necessità.

A contenerla in una consapevolezza triste che non schizzasse la sua rabbia da tutte le parti.

Mi sono buttata sul lavoro.

Sono uscita, ho visto gente.

Non mi sono iscritta a un corso di tango.

Però sono partita.

Mi sono rifugiata a Pomaia, un piccolo centro dalle parti di Pisa, nel monastero tibetano Lama Tzong Khapa, il più grande di tutta Europa, dove mi ero iscritta via Internet a un corso di meditazione sperando di trovare un po' di pace per poi accorgermi, una volta arrivata lì, che ero fin troppo brava a rimanere immobile per cinque ore di fila con gli occhi chiusi perché così ero libera di pensare a Lorenzo tutto il tempo.

Ho accettato una lunga serie di inviti che avevo sempre rifiutato dei miei amici sparsi per l'Italia e perfino di un paio di ascoltatori.

A Natale sono andata a sciare sulle Dolomiti.

Sono andata a Venezia per il Carnevale.

A Perugia per la Festa della cioccolata.

A Pescara per il matrimonio di una mia cugina di terzo grado.

Ho preso dieci giorni di ferie e sono andata a New York con Toni.

Ogni tanto tornavo a confidarmi con il mio psichiatra di un tempo.

– Quello che più mi manca di lui sono io quando stavo con lui. Perché di me non chiedeva mai niente, ma mi dava l'impressione di conoscere tutto.

– Mi spieghi meglio.

– Per esempio secondo me da qualche parte aveva intuito da dov'è che venivano tutte le mie paure. E l'aveva fatto anche meglio, mi perdoni, di qualsiasi suo collega.

– Quanto lei chiama conoscere o intuire non dovremmo forse chiamarlo manipolare?

– In che senso?

– Nel senso che alcune persone riconoscono istintivamente i nostri punti deboli e sfruttano proprio quelli per legarci a loro. Fanno un po' come fa un medico generico che tasta il paziente e gli chiede fa male qui? e qui? e appena il paziente gli dice sì, invece di dargli la medicina giusta continua a spingere.

– E le pare poco, scusi?

– Cosa?

– Scoprire dov'è che fa male.

Nel frattempo il ventisei dicembre un'onda gigante si era portata via gran parte dell'Asia e tutti i posti dove conservavo i miei ricordi più belli con Lorenzo.

Guardavo attonita il tapis roulant di immagini del telegiornale che mostravano l'albergo dove avevamo dormito a Phuket sollevarsi in volo e schiantarsi per aria.

Fuori di me sembrava non ci fossero più tracce della mia storia d'amore.

Anche il giorno in cui ci eravamo conosciuti, il ventinove febbraio, era l'unico a mancare all'appello dell'anno dopo.

Tutto mi dava il permesso di andare avanti.

Di passare la notte col nuovo giornalista del GR che era arrivato in radio, con il testimone del marito della mia cugina di terzo grado, con il barista del locale in Prince Street a New York, con un amico della sorella di un fidanzato di Toni.

Ma cadendo dalle scale quella mattina insieme alla malattia che mi aveva tenuto compagnia per più di dieci anni sentivo di aver perso anche il fascino che esercitavo sugli uomini.

Come gli dèi a cui viene tolta d'improvviso l'immortalità, senza le nevrosi di un tempo mi sentivo insicura, non ricordavo più a memoria il copione che prima di conoscere Lorenzo recitavo durante un primo appuntamento.

Non ero più la puttana che voleva uno o la brava bambina che voleva l'altro.

Contrastavo i pareri delle persone con cui uscivo.

Lasciavo languire conversazioni.

Se non mi andava di fare sesso, lo dicevo.

Correvo il rischio di venire considerata una qualunque.

Di venire sostituita facilmente.

Gli uomini che frequentavo avevano senso solo per venire paragonati dentro di me a Lorenzo e possibilmente per non reggere il confronto. Da qualche parte se ne accorgevano e io non facevo niente per far credere il contrario.

Lorenzo questa cosa qui non l'avrebbe mai detta, pensavo, questa non l'avrebbe mai fatta. Lorenzo avrebbe capito subito che questa che ho appena fatto era una battuta, Lorenzo sapeva che non dicevo mai niente sul serio, Lorenzo non si sarebbe mai messo una camicia così, anzi, Lorenzo le camicie non se le metteva proprio, gli facevano schifo le camicie, usava solo magliette lui, e volete saperla un'altra cosa? non usava nemmeno le mutande, sì, un giorno si era dimenticato di mettersele e poi aveva capito che poteva benissimo farne a meno, e allora non vedo perché tu devi usare i boxer e tu invece gli slip, come se non ci fosse un'alternativa.

Degli incontri che ho fatto in quei mesi ho ricordi confusi, i loro contorni sfumano nell'allucinazione.

A parte uno.

Ero sul treno che mi avrebbe portato a Milano per la solita diretta con la presenza del pubblico in studio.

Lui era salito a Bologna e si era seduto davanti a me. Aveva gli occhi veloci e blu, poco più di trent'anni, qualcosa di leonino che gli correva lungo la fronte e un'espressione spalancata che sembrava parlare di libertà. Si chiamava Roberto. O forse Riccardo.

Non è importante. Se ho capito bene faceva il biologo, si occupava di fondali marini, e tornava da Ferrara dove era stato al concerto dei Radiohead.

Ma nemmeno questo è importante.

L'importante è che durante le poche ore di viaggio che mancavano il tempo mi era sembrato sopportabile. Addirittura facile.

Avevamo giocato a Nomi Città Cose Animali, ci eravamo bevuti tre confezioni di Tavernello nella carrozza ristorante e ci eravamo nascosti in bagno a fumare.

Una volta arrivati a Milano mi aveva chiesto il numero di telefono.

– Se un giorno passo da Roma magari ti chiamo, – mi aveva detto. Ed eravamo scoppiati a ridere come per dire tanto non succederà mai.

Poi era sceso dal treno ed era andato incontro a una bellissima ragazza mulatta che lo aspettava sul binario e gli si era allacciata al collo.

Lorenzo faceva ancora male. Ma non abbastanza, se per un istante avevo pensato che sarebbe stato bello essere al posto di quella ragazza.

Buon segno, mi sono detta.

– ...e a quer punto sonano alla porta, vado ad apri' e chi te trovo sur pianerottolo? Lidia, nun puoi immagina' che spavento: lui! Ma nun eri morto 'n guera? Je faccio. Sì, no, fa lui. 'Nzomma, pare che 'n guera l'aveveno solo ferito, ma pe' sbajo er nome suo era finito su l'elenco de li morti. Solo quann'è tornato a casa dei suoi ha capito che casino era successo, che su madre pe' poco nun moriva lei a vedesselo veni' incontro, dopo che 'n' anno prima j'aveva fatto fa' er funerale ar Campidojo, pure cor sindaco e la gente che conta.

– E perché non era corso subito da te per spiegarti tutto?

– È quello che j'ho chiesto 'rifatti. Perché vieni da me mo che so' passati cinquantadu' anni e nun sei venuto quann'era il momento? Io ero tu' moje o no? Lì lui nun sapeva che di', sai com'è, me fa, è che ho penzato che nun te volevo da' 'n'artro coccolone, ma quale coccolone? je dico io, io te stavo a piagne matina giorno e sera, me facevi solo 'n regalo a torna'! Di' la verità che c'avevi ripenzato e siccome 'n guera eri riuscito a sopravvive, 'na volta ch'eri tornato te volevi diverti', fa' l'uccello de bosco.

– E lui?

– E lui alla fine m'ha detto forse sì, c'hai raggione, ho capito che c'eravamo sposati troppo regazzini e c'avevo bisogno de fa' 'n'artro po' d'esperienza. All'anima de' 'n' po' d'esperienza, je faccio, cinquantadu' anni te ce so' voluti? Io pure me so' fatta la mia, d'esperienza, e mo c'ho tre fiji e cinque nipoti. E lo sai a quer punto lui che fa?

– Che fa?

– Se mette a piagne. Ma che te penzavi? je chiedo. Che ancora stavo a aspetta' te? Sì, me risponde lui.

– Incredibile.

– No, Li', nun è incredibbile pe' gnente. Sta' a senti' me. Gli omini pure se so' morti prima o poi tornano tutti. Damme retta. Tutti.

Avevo cancellato il suo numero dalla rubrica del mio telefonino immediatamente, appena avevo capito che non mi avrebbe chiamata più, per non cadere nella tentazione di farlo io. Certo, lo sapevo a memoria, ma un conto era doverlo digitare e avere il tempo di una decina di tasti per capire di fare una cazzata, un conto sarebbe stato scorrere i nomi della rubrica fino al suo e premere Invio d'istinto.

Comunque quando quella sera ho visto sul display lampeggiare +393353301340 l'ho riconosciuto subito.

Erano i primi giorni d'estate. Era quasi un anno che non avevo sue notizie.

– Sono Lorenzo.

– Lo so.

– Ciao.

– Ciao.

– È una vita che non ci sentiamo, eh?

– Vero.

– Già.

– Già.

– Come stai?

– Bene. Tu?

– Mai stato peggio, direi.

– Mi dispiace.

– Ma no, non ti dispiacere, me lo merito.
– Comunque mi dispiace.
– Sei sempre stata buona, tu.
– Come va con Olimpia?
– Chi?
– Olimpia.
– Ah, sì, Olimpia. Ci saremo visti in tutto sì e no un paio di volte.

Poi era uscito con tante altre donne, e ultimamente aveva ricominciato a frequentare Barbara.

– Te la ricordi? La costumista.

Certo che me la ricordavo. *Prima che arrivassi tu lei viveva con me, abbiamo passato un mese intero chiusi in casa a farci di qualsiasi cosa.* Ma non mi sembrava possibile che ne stesse parlando a me.

– E Gabrielle come sta?
– Non lo so.
– Come non lo sai?
– Non ci sentiamo più.
– Ah.
– Siamo in causa.

Lo avevano sfrattato dal monolocale e a quel punto gli era sembrato il momento di tornare a vivere a casa sua. Ma le cose non erano state facili come credeva. Nel frattempo Gabrielle e Maia si erano lasciate: Gabrielle si era messa con una tipa di Berlino e si era trasferita da lei in Germania e Maia e le gemelle erano tornate a stare con il maestro di respirazione. Nella casa di Lorenzo.

– Gabrielle gliel'ha affittata perché è rimasta molto legata a Maia, a suo marito e alle bambine e dice che a loro quel posto è sempre piaciuto tantissimo. Quando le ho chiesto di mandarli via lei ci ha provato.

Ma loro avevano firmato un contratto d'affitto per quattro anni e non avevano nessuna intenzione di andarsene prima: per una lunga serie di cavilli amministrativi poteva addirittura risultare un loro diritto.

– La prima udienza per il processo ci sarà a settembre. Per il momento sto abitando a San Liberato, in campagna, e quando vengo a Roma mi appoggio un po' dove capita.

L'unico modo di uscire dalla situazione in cui era finito era che si vendesse la casa, così che Maia e suo marito fossero costretti a lasciarla. Ma le spese legali per quell'operazione erano altissime, e ogni volta saltava fuori una pratica che metteva in discussione quella approvata pochi giorni prima come risolutiva.

– Ti rendi conto, Lidia? Mi ci vedi, a me, fra avvocati, commercialisti e atti notarili?

No, non ce lo vedevo.

– Adesso capisci perché me lo merito di stare tanto male?

– Per quanto sei stato ingenuo.

– Ecco.

– Solo per questo.

– Che fai stasera? Ti va di vederci?

Non era stata una buona idea.

Vederlo, mangiare al cinese dove mangiavamo sempre quando stavamo insieme, passare la notte con lui a casa di un suo amico.

Anche il sesso era stato veloce, distratto: triste.

Non era Lorenzo, quello. Non c'entrava niente con il mio Stitch.

Sembrava invecchiato tutto in una volta, camminava trascinando i piedi, aveva l'aria di lavarsi poco. Non diceva niente di interessante. Niente di irriverente.

La sua storia con Barbara se avevo capito bene era ricominciata da un paio di settimane, dopo che l'aveva incontrata per caso a una festa.

– Ma lei non mi ha mai perdonato per averla lasciata in

quel modo e adesso si vendica chiamandomi solo quando ha bisogno di un po' di roba. È colpa mia se l'ho persa. Ha ragione lei. Devo pagare l'errore che ho fatto.

Cioè quello di esser stato con me, perché era per me che aveva lasciato lei, gli avrei voluto far notare. E che magari quindi poteva evitare di dirmi quelle cose, anche se le pensava.

Ma il fatto è che non le pensava. Che non pensava più niente. Parlava senza ascoltarsi, era in preda a un forte stato confusionale. A un certo punto della serata mi sono chiesta perfino se avesse capito davvero chi ero.

Avevo conosciuto un uomo che guardava tutto dall'alto della fortezza delle sue convinzioni e che adesso giaceva schiacciato dalle macerie di quella fortezza.

Quando si è addormentato mi sono alzata in cerca del suo diario.

Lo teneva ancora.

Ma le pagine erano piene solo di animaletti stilizzati.

Cani, gatti, qualche papera.

Tantissimi conigli.

Di lì a pochi giorni sarei partita per la mia prima vacanza in barca a vela, con degli amici di Toni che negli ultimi tempi erano stati molto affettuosi con me.

Insomma, non ci avrei messo tanto a liberarmi dello squallore che mi aveva messo addosso quell'incontro con Lorenzo. Di quella pena profonda. Della mia ricerca vana per trovare in qualche suo gesto o in qualche parola tutto l'amore di un tempo. Tutto l'amore di un tempo: ecco, per dimenticare quello non era bastato un anno e certo non sarebbe bastata una settimana in barca a vela.

Ma per dimenticare quella serata sì.

Sarebbe stato sufficiente non vederlo più. Mai più. Per nessuna ragione al mondo.

– Toni, aiuto.

– Che succede.
– Mi ha telefonato di nuovo.
– Avevi promesso che non gli avresti risposto.
– Ha insistito.
– E allora? Gliel'hai detto che fra tre giorni ce ne andiamo in Corsica?
– Sì.
– E lui?
– Mi ha chiesto se stasera mi va di andare a San Liberato. Abbiamo appuntamento fra un'ora in centro.
– Mica gli avrai risposto che ci vai?
– Poverino, sta male. Rimane comunque una persona che mi ha dato molte cose.
– Come dieci punti sul muso.
– Senti, Toni, io sto per andare in vacanza e divertirmi moltissimo, che male c'è nel voler dare un po' di conforto a un vecchio amico?
– Lidia.
– Sì?
– Se sabato non sali su quella barca a vela fai la mossa più sbagliata della tua vita.
– Non la farò.
E invece l'avrei fatta. Sono entrata nella macchina di Lorenzo, lui mi ha sorriso come prima di tutto e l'ho capito subito. Mi è bastato che mi dicesse ciao Lilo per capire che la stavo già facendo. Non mi sembrava la mossa più sbagliata della mia vita. E nemmeno quella più giusta.
Era semplicemente l'unica che avevo a disposizione.
Arrivati a San Liberato ci siamo spogliati subito e siamo rimasti nudi a letto per tutto il giorno. Il giorno dopo l'abbiamo passato a dire domani ci alziamo. Il sesso fra noi non fu mai più sciatto com'era stato qualche sera prima. Ma non era nemmeno come un tempo. Né più bello né più brutto: era un'altra cosa. Non c'erano più quell'ansia e quella ricerca. Ogni tanto

ci investivano all'improvviso, e facevamo l'amore anche nel sonno. Ma il più delle volte Lorenzo non riusciva nemmeno a rendersi conto dove fosse finito il suo corpo. E allora lo toccavo da tutte le parti, per ore. E sentivo forte proprio come un anno prima che quello era il mio posto, mentre lui rimaneva steso, con gli occhi semichiusi, impegnato nella conquista di un piacere naturale all'improvviso tanto difficile da raggiungere. Difficile come difficile era diventato per lui fare e pensare qualsiasi cosa.

Stavolta aveva ragione, era vero che non era mai stato peggio di così, almeno da quando lo conoscevo io. Dopo lo sfratto dal monolocale aveva provato a infilare i suoi libri negli scaffali della casa di campagna, ma non ci sarebbe mai stato posto per tutti, e la maggior parte rimaneva ancora chiusa in una pila di scatoloni sistemati nella vasca del bagno. Girava per le due stanze della casa come se ci mettesse sempre un po' a riconoscere dove fosse. Non riusciva a dormire a letto con me e quando mi svegliavo la mattina lo trovavo ancora vestito, a russare sul divano o su una sdraio del patio. Ancora non si era abituato del tutto a vivere lì. Si era convinto a chiedere aiuto a un medico e da qualche settimana aveva cominciato a prendere l'Efexor, un antidepressivo. Magari non dovrei mischiarlo con tutta la roba che mi pippo, diceva, è che ho la testa piena di fili elettrici scoperti. E si mordeva la maglietta e si metteva a piangere.

Il suo dolore stavolta era allo stato brado. Lorenzo non lo tamponava più con l'arroganza di un tempo, e se ne lasciava invadere. Che è l'unico modo per poterlo davvero eliminare, pensavo io. Stavolta puoi farcela, ce l'hai fatta, hai già vinto e nemmeno lo sai, gli dicevo.

E poi lo vestivo come fosse il mio bambino piccolo, gli infilavo la maglietta, i pantaloni, i sandali e andavamo in paese a prenderci un gelato, o a scoprire nuovi sentieri per salire sulla collina di fronte al lago.

C'inventavamo ogni sera un'insalata diversa.

Abbiamo guardato tutta la prima serie di *Nip/Tuck* in DVD.

Tre serie di *Twentyfour.*

Six Feet Under, *The O.C.* e *The Shield.*

Se Lorenzo si era trovato all'improvviso senza una casa e senza la possibilità di riconoscerne un'altra come sua, per quanto mi riguardava io sapevo benissimo qual era casa mia. Era stare con lui. L'avevo sempre saputo, anche mentre eravamo lontani. E da qualche parte lo sapeva anche lui, se mi stringeva forte e mi diceva mi fido solo di te, se la mia felpa rosa e grigia che avevo lasciato tanto tempo prima a San Liberato in tutti quei mesi era rimasta lì, attaccata dietro alla porta della cucina, se in bagno c'era ancora il mio spazzolino, la mia spazzola, due confezioni di Monuril che avevo comprato io, se sulla parete della camera da letto c'era ancora il poster di Lilo e Stitch e sul comodino una copia del *Silmarillion* che non avevo mai finito di leggere.

Lorenzo era casa mia. Poteva versare nell'abbandono più assoluto o nello sconforto, ma io sarei rimasta lì.

Per i primi giorni avevo provato a resistere, ma niente mi è mai venuto tanto naturale come innamorarmi di lui.

Non sapevo cosa fosse successo fra la sera in cui avevamo mangiato al cinese e quella in cui era venuto a prendermi per passare insieme una serata che poi si sarebbe allungata per tutta l'estate.

Mi piaceva pensare che dopo avermi rivista avesse capito tante cose e si fosse fatto una doccia, la barba, si fosse detto non posso perdere Lidia di nuovo, non posso perderla più.

Lui sosteneva che la sera al cinese aveva semplicemente un po' di mal di testa, e quando ci eravamo rivisti per andare a San Liberato no, tutto qua.

E che pure con la barba messa a posto rimaneva comunque lo stesso stronzo di sempre.
Che stavolta non voleva rispondere alle mie aspettative, come aveva fatto in passato, per poi deluderle. Voleva fosse chiaro da subito che frequentava un'altra donna, che, anzi, ne frequentava altre tre o quattro, e che la nostra aveva tutti i presupposti per diventare una bella amicizia.
Non ci sarebbe caduto mai più lui, nel pantano di una storia d'amore. Mai più. Voleva fosse chiaro.
Io gli dicevo va bene, allora se le cose stanno così mi sa che è meglio che torno a Roma e raggiungo Toni in Corsica.
E allora lui mi chiedeva dov'è che vai tu? e mi spogliava.
Il giorno dopo ricominciava.
Non ti fare illusioni, mi raccomandava.
Io non ti amo, io non posso amare nessuno.
Parole dure, che non avrebbero lasciato margini di speranza nemmeno al più ostinato dei desideri. Ormai però io lo conoscevo. Non avevo più bisogno di spiare il suo cellulare o il suo diario. La notte in cui ero entrata di sorpresa nel suo monolocale era stato senza dubbio il momento peggiore della mia vita. Ma mi aveva fatto capire tutto quello che c'era da sapere su Lorenzo per volergli bene senza farsi troppo male: non bisognava credergli. Mai. Che mi dicesse non ti amo quante volte voleva. Anzi. Che me lo dicesse tante volte quante in passato mi aveva detto ti amo per poi nei fatti abbandonarmi alla prima difficoltà. Alla prima bionda.

Di quella notte non parlavamo quasi mai.
– Non so se un giorno riuscirò a perdonarti per esserti spaccata il mento sulle mie scale, – diceva lui. – Tutta quell'intensità per me è qualcosa d'inammissibile.
Io non replicavo niente. Non avevo davvero nessun rancore nei confronti suoi e di quanto era successo in quella che ormai mi sembrava la vita di un'altra donna, la storia con un

altro uomo. Le conseguenze di ognuno dei comportamenti di Lorenzo che mi avevano ferito, a lungo andare si erano rivelate molto più pericolose per lui che per me. Il suo legame con il passato, il suo bisogno compulsivo di scoparsi qualunque donna incontrava, il suo rapporto ambiguo con le droghe, con la realtà. Niente di tutto questo aveva fatto male a me quanto l'aveva fatto a lui. Bastava guardarlo svegliarsi e toccarsi le dita dei piedi con le dita delle mani alla ricerca di un contatto con le sue stesse estremità che sentiva perduto.

Le altre donne che frequentava in quel periodo forse erano andate in vacanza, perché non si facevano sentire mai.

La casa di San Liberato era piccola, me ne sarei accorta.

Ogni tanto lo chiamava Barbara e lui si inventava qualche scusa, mi lasciava in campagna da sola e se ne andava a Roma in giornata. Il sesso con quel rapporto c'entrava poco o niente, era piuttosto evidente, e tantomeno c'entrava l'amore, qualsiasi significato gli si possa attribuire: quando tornava a San Liberato, quelle sere, era lontano, gli occhi gli si chiudevano da soli mentre leggeva seduto sui gradini del patio e passava il giorno dopo in quella stessa posizione a dormire, o a vomitare.

– Non capisco perché se con me hai messo le cose in chiaro hai ancora bisogno di dirmi bugie.

– Avevo davvero un pranzo di lavoro ieri.

– Di sedici agosto?

E a quel punto mi veniva da ridere.

Davvero.

Talmente tanto che alla fine contagiavo anche lui.

E non riuscivamo più a fermarci.

Dove un tempo avremmo continuato a litigare per tutto il giorno, senza ottenere né che lui mi dicesse la verità né che io credessi alle sue bugie, adesso ci divertivamo.

Non sapevo se considerarla una vittoria o una sconfitta.

– Quando un grillo canta vuol dire che ancora non ha trovato una compagna per passare l'estate, se smette di cantare vuol dire che sta scopando.

– Poverini quelli che fino a settembre non smetteranno mai di cantare.

– Beati loro, dirai. L'amore è il peggiore dei mali, Lilo. Ricordatelo. Non vedi che stiamo proprio bene io e te adesso che ci siamo liberati da quel torchio maledetto?

Certo, stiamo benissimo, dicevo io.

E in effetti, per quanto ci è sempre stato difficile sopportare il peso della serenità, era vero. Giorno dopo giorno, durante quell'estate, Lorenzo aveva ricominciato a scrivere un libro lasciato incompiuto da mesi, ogni tanto riusciva a spingersi fino al letto per dormire, si lanciava nelle sue riflessioni paradossali sul mondo e sulle cose come un tempo e come un tempo inventavamo personaggi per tenerci compagnia.

C'era Salvo L'Estate, un tipo entusiasta di tutto che il portale www.levacanzesonobelle.com ci aveva spedito in regalo, e che ogni mattina in una specie di dialetto brianzolo, con modi di fare vagamente berlusconiani, ci dava indicazioni su come passare la giornata in maniera sana e costruttiva.

– Andate a fare footing sul lago! – Immaginavamo ci dicesse. – Forza! Ueh tu con la barba, ma che fai? Vuoi metterti a piangere anche stamattina? Scherzi? La vita è una, la vita è bella, prendi la tua figa e portala a correre! Affitta un pedalò! Stupiscila!

Poi c'era Mastro Lindo, un tipo tutti muscoli bellezza e positività che mi corteggiava e mi chiedeva cos'è che ci trovassi di tanto interessante in un catorcio come quello con cui mi accompagnavo. C'era la Lettrice Bagnata, l'imitazione di tutte le tipe che Lorenzo avvicinava alle presentazioni dei suoi libri, che gli dicevano sei grande, e che lui a quel punto sosteneva di sentirsi in dovere di ringraziare in qualche modo, e di portarsi a letto per poter dire a ognuna sei grande anche tu. C'era un gattino cieco e ipocondriaco con cui Lorenzo si identificava e c'era l'immagine della Ragazza Che Siccome Ha Sofferto Adesso Deve Recuperare Il Tempo Perduto E Sogna Un Futuro Migliore Solo Per Convincersi Di Poterlo Fare, con cui prendeva in giro me.

Aggiornare di continuo il nostro mondo fantastico, anche se eravamo soli, ci faceva sentire in molti.

E ce li portavamo tutti con noi, Mastro Lindo e gli altri, quando andavamo qualche giorno a Ventotene a trovare dei suoi amici, quando camminavamo per la necropoli di Norchia, per le bancarelle del mercatino di Otricoli, quando Lorenzo mi spiegava perché le scale che ci sono a Viterbo ci sono solo a Viterbo.

Stavamo proprio bene, era vero. Che ci riuscissimo perché liberi dal "torchio maledetto" dell'amore, come sosteneva Lorenzo, Salvo L'Estate mi consigliava di lasciarglielo dire.

E di non rimanerci male.

Nemmeno quando in certe notti perfette facevamo l'amore con l'intensità di un tempo e alla fine lui esclamava: – Certo che questo Efexor fa proprio meraviglie.

...abbiamo cominciato questa puntata di *Sentimentalisti Anonimi* alla ricerca di una definizione dell'intimità e dai vostri interventi sembra proprio che questa definizione non esista. E che l'intimità dunque sia davvero un accordo silenzioso, come diceva poco fa Mattia da Ravenna. Che avvenga quando non ci stiamo pensando, quando dal bagno seduti sul water urliamo a un altro che finalmente è la volta buona, quando gli chiediamo di tenerci la scala mentre cambiamo una lampadina rotta. Che per tutti voi in ascolto questa notte sia lunga, intima e dolce. Come il pezzo di Beck che stiamo per ascoltare, nella versione che fa da colonna sonora a *Eternal Sunshine of the Spotless Mind*, il film di Gondry. Perché in Italia lo abbiano dovuto intitolare *Se mi lasci ti cancello* non l'ho mai capito. Comunque rimane un capolavoro.

Passavano i giorni e i mesi, l'estate, e a turno uno dei due quando veniva sera diceva direi che è arrivata l'ora di separarci, ho bisogno di un po' di spazio tutto per me, domani prendo il treno, domani prendi il treno, domani ognuno a casa sua.

Ma il giorno dopo come se niente fosse ci svegliavamo, andavamo in paese a fare colazione, a comprare i giornali, ci facevamo un bagno al lago e aspettavamo tornasse la sera per dire domani.

E quel domani non arrivava mai.

Arrivavano tante altre cose, però. Le talpe bucavano il terreno tutt'attorno alla casa e cercavamo il modo di mandarle via senza doverle uccidere. Il nuovo libro di Lorenzo prendeva forma. Studiavamo nuovi spazi per liberare la vasca dagli scatoloni. Facevamo amicizia con il padrone del bar, con la cassiera del supermercato, con l'edicolante, venivamo a sapere che il tabaccaio era un seguace di Sai Baba. Una cistite maledetta mi costringeva a rimanere tutto il giorno a letto con le gambe aperte e Lorenzo soffiava dove mi faceva male per darmi un po' di sollievo.

La familiarità che durante il primo periodo passato insieme io gli chiedevo tutti i giorni e lui tutti i giorni mi negava, adesso semplicemente succedeva.

E man mano che facevamo l'amore come un tempo, man mano che scoprivamo di poterlo fare anche meglio, che non usavamo più nessuna precauzione, sentivo franare in me la capacità di non fidarmi di lui, di ridere delle sue bugie, di sopportare i suoi tradimenti.

Così un giorno il treno l'ho preso per davvero. Ormai era settembre e prima o poi sarei comunque dovuta tornare a casa mia, in città, per ricominciare il programma.

Ho solo anticipato la fine delle vacanze, mi ripetevo mentre imboccavo la galleria della Stazione Tiburtina. Somigliavano a tutto quello che desidero solo per colpa di un errore classico, mi dicevo, solo perché per loro stessa natura prima o poi sarebbero finite, tutto qui.

Era successo che Lorenzo aveva ricevuto una telefonata di Barbara. E come aveva già fatto un paio di volte in quei mesi con la benedizione della mia indifferenza, si era precipitato a Roma e mi aveva chiesto di aspettarlo in campagna.

Sapevo benissimo che cosa sarebbe andato a fare.

Ancora meglio sapevo le condizioni in cui l'avrei visto tornare.

E il senso di fallimento e di umiliazione in cui sarebbe precipitato nei giorni a seguire.

Non volevo essergli complice stavolta. Non volevo esserci.

E allora sono andata via.

Era notte fonda quando ho ricevuto un suo SMS.

Torna

mi ha scritto.

Vieni tu

gli ho risposto.

Alle quattro del mattino il suono del citofono mi ha svegliata. Eppure pensavo non si ricordasse nemmeno dove abitavo. Era dal giorno in cui eravamo andati al luna park e ci eravamo incontrati per la prima volta che non era più tornato lì.

– Ciao.

– Ciao.

– Una che è capace di rompersi il mento per le scale è capace di tutto. Sono solo venuto a controllare che non ti eri suicidata. Non ti fare illusioni.

Rimango qui da te solo perché domani ho una riunione al giornale e in campagna dovrei svegliarmi all'alba per arrivare in tempo, rimango qui perché domani ho la prima udienza del processo, rimango qui perché stasera c'è un concerto che non voglio perdermi e se proprio ci tieni puoi venire anche tu, rimango qui perché ormai si è fatto tardi e ho i fari della macchina rotti, perché ho la seconda udienza del processo, perché ormai anche oggi si è fatto tardi.

È così che abbiamo cominciato a vivere insieme, proprio nel quartiere rosa e arancione che Lorenzo aveva sempre detestato.

Avevamo trasportato i suoi scatoloni dalla vasca della sua casa di campagna al mio garage.

– Giusto fino a quando non recupero i soldi e mi compro un'altra casa.

Non smetteva mai di ripetermi, così come non smetteva mai di raccontare alle persone con cui uscivamo quant'era duro vivere in campagna da solo adesso che era arrivato l'autunno, che sarebbe arrivato l'inverno. Quando invece in campagna andava sì e no una volta a settimana, nel weekend. E sempre insieme a me.

Era come se più ci avvicinassimo più dovesse allontanare dagli altri e da sé l'idea di quanto stava succedendo. Lo fa perché ha paura, mi diceva suo fratello, perché non riesce proprio a concepire di meritarsi un po' di felicità. Lo fa perché è un egoista del cazzo, mi diceva Toni, e non sa esserci ma non sa nemmeno non esserci.

Avevano ragione tutti e due. Era vero che niente spaventava Lorenzo come la possibilità reale di un legame, era vero che quando mi avvertiva di fare attenzione e non fidarmi di lui stava avvertendo più che altro se stesso di non abbassare la guardia.

Era vero che più era felice con me, più pensava di non esserne degno e sentiva il bisogno di distruggere tutto, come in un attacco terroristico preventivo.

Ma era anche vero che a quel punto faceva sentire indegna me.

– Ho bisogno d'altro, – mi diceva all'improvviso. – Tu mi costringi a una vita che non c'entra proprio un cazzo con quello che piace a me.

– Perché che cos'è che ti piace?

Il canto dolcissimo delle sirene, lo chiamava lui. Una botta di roba o una scopata facile. Meglio ancora tutte e due insieme.

– Insomma il tuo problema è che la tana ti sta stretta ma la foresta ti sembra troppo grande.

– Proprio così. Brava.

– Non è mia, è una citazione.

– Lo dice Hillman nel saggio sul *Puer Aeternus*, immagino. L'Uomo Fanciullo che allude, illude e delude.

– No.

– E chi, allora?

– Britney Spears. In un'intervista.

Erano i primi giorni di novembre, la campagna era diventata tutta gialla e i sentieri che avevamo scoperto pochi mesi prima adesso sembravano salire sulla collina solo per noi.

Facevamo passeggiate lunghissime, a piedi o in bicicletta.

– Il mio medico dice che è utile spostare la tensione dal

sistema simpatico a quello parasimpatico, – sosteneva Lorenzo. – Che muoversi svuota la testa, insomma.

Come nei confronti di tutte le cose, dimostrava a fasi alterne una totale diffidenza o una fiducia cieca nello psicofarmaco che prendeva e di chi glielo aveva prescritto.

L'estate aveva in qualche modo domato l'incubo che si portava dentro, che adesso però era tornato a invadergli il cervello, i pensieri, i muscoli, tutto, perfino la scrittura. Ha perso la sua magia, diceva. Non brilla più nemmeno lei.

– Ci sono cose che più pensi di dominare e più ti dominano. Secondo me riconoscere la loro potenza è il solo modo per combatterle. Magari se non ti si paralizzava la scrittura, anche se il resto della tua vita era un disastro non avresti mai deciso di curarti, vedila così.

– Che vuoi dire, che me lo auguravi, di perdere il talento? Eccerto, così non mi invitano più ai convegni e tu puoi tenermi sempre sotto controllo e non essere gelosa delle altre donne che incontro in giro.

A volte parlare con lui diventava davvero troppo faticoso. Soprattutto quando affrontavamo l'argomento della nostra relazione.

– Ci saranno altre lacrime e altri menti spaccati, per Dio. Mi mangio le mani per averti risposto, quando quest'estate mi hai cercato di nuovo.

– Veramente mi hai cercato tu.

Conversazioni che esplodevano all'improvviso, e che per fortuna bastava un niente per lasciare appese lì, da qualche parte, in mezzo alle sue paure, alle mie paure.

Bastava che il sentiero si facesse più ripido, il fiato più corto, bastava un rumore lontano, una luce diversa.

Un cucciolo di cane rosso, con la coda più lunga di lui e una specie di gonna pantalone di pelo bianco al posto delle zampe, che ci seguiva da ore.

– È tutto sbagliato, guardalo.

– È meraviglioso.

Non eravamo riusciti a liberarci di lui nemmeno quando eravamo tornati a casa. Aveva continuato a saltellarci fra le gambe per tutto il tempo. Non aveva il collare, ma sembrava abituato a stare con le persone. Non si capiva se fosse triste di essere stato abbandonato o felice di essere libero.

A me sembrava triste. Anche se libero.

– Lo teniamo con noi? – gli ho chiesto.

– Nemmeno per sogno, – aveva risposto Lorenzo. Per poi passare tutta la serata sul divano abbracciato a lui, per parlargli fitto fitto e dirmi di correre subito, dall'altra stanza, e venire a vedere come il cagnolino muoveva la testa seguendo le immagini della televisione, come socchiudeva gli occhi per guardarla meglio, come si leccava una zampetta che chissà, forse era ferita.

– Domani bisogna che lo facciamo visitare.

Il giorno dopo l'abbiamo portato dal veterinario, lo abbiamo fatto vaccinare e lavare, gli abbiamo comprato un collare, un guinzaglio, un osso e una pallina di gomma.

E mentre stavamo tornando a casa, e lui ci seguiva sbattendo la coda di felicità, incrociamo un ragazzino che si accuccia per carezzarlo.

– Ciao Bobby,– gli dice.

– Lo conosci? – gli chiediamo noi.

– È dei miei vicini, – fa lui. E ci indica dov'è casa sua. E dov'è quella del nostro cane.

– Non è nostro, è loro, – continuava a ripetermi Lorenzo, – dobbiamo riportarlo ai suoi legittimi proprietari.

– Ma non l'hanno cercato: vuol dire che non ci tengono più di tanto.

– E tu che ne sai? E poi, anche se così fosse, non possiamo prenderci noi la responsabilità di decidere se i suoi padroni sono buoni o cattivi.

– Perché no?

– Perché sarebbe un furto. E San Liberato è piccola, prima o poi si verrebbe a sapere chi è stato a rubare Bobby.

– Si verrebbe a sapere con chi ha scelto di stare, è diverso.

Alla fine avevamo riportato il cagnolino da dove era venuto. O fuggito, ma a quel punto era lo stesso.

Ci era venuta ad aprire una donna enorme, dal fare svogliato.

– Abbiamo riportato Bobby. L'abbiamo trovato per strada, ci hanno detto che è vostro.

– Ah, Bobby, – aveva risposto lei, – sì. Mio figlio se n'era accorto, che mancava un cane. Ne abbiamo una decina, è facile perdere il conto. Comunque grazie.

– Si figuri.

E lei aveva fatto per chiudere il cancello e noi per andarcene. Ma Bobby voleva seguirci. Mi si era infilato fra i piedi. Non aveva nessuna intenzione di rimanere lì.

– Adesso basta, – gli aveva urlato quella donna, e l'aveva trascinato in casa per il collare. Quello che gli avevamo comprato noi.

Il cancello si era chiuso una volta per tutte. Con noi fuori di lì e Bobby dentro.

Mi era venuta una gran voglia di piangere. Che a Lorenzo faceva un po' ridere.

– Non ce la farò mai a liberarmi di te, – mi ha detto, quel giorno. E mi ha abbracciata forte.

Qualche notte dopo sono tornata a casa dalla radio, ho aperto la porta e mi è venuto incontro uno splendido incrocio biondo fra un bassotto e un setter irlandese. E dietro di lui Lorenzo.

– Al canile dicono che sa volare. Nel senso che quando è felice fa salti altissimi.

– È il regalo più bello che abbia mai ricevuto. Grazie.

– L'ho chiamato Efexor. Come lo psicofarmaco che prendevo.

– Efexor. Mi piace.

– Piace anche a lui. Vero Efexor?

– Amore, scusa.

– Non mi piace che mi chiami amore. Ma dimmi, che c'è?

– Hai detto prendevo.

– Ah, già. Ho deciso di smettere con quella porcheria. Tanto non mi faceva nessun effetto.

Nel bel mezzo di una cena in un buon ristorante, di un viaggio in macchina o appena avevamo fatto l'amore, quando meno me l'aspettavo mi chiedeva di mettermi una mano sulla coscienza. Di capire che non era mai stato fatto per una storia come quella che era diventata la nostra mentre lui non se n'era accorto. Che comunque non era pronto. Aveva già fatto tante rinunce, per me. Non toccava più droghe da tempo. Aveva smesso di frequentare Barbara, era disposto anche a restarmi fedele di lì in poi se ci tenevo così tanto, ma io dovevo dargli una tregua.

– Che significa tregua?

– Significa che magari da domani mi affitto una camera da qualche altra parte e noi ci vediamo un paio di volte alla settimana.

– Va bene. Fallo.

E non lo faceva mai.

– Perché tu mi dici "fallo" con quel tono lì che vuol dire che se lo faccio poi magari ti perdo.

– E allora?

– E allora io non voglio mica perderti. Voglio stare vicino a te per tutta la vita, ma non come un uomo che deve prendersi le sue responsabilità, voglio stare vicino a te come una sveglia rotta, ecco, che però tu continui a tenere sul tuo comodino e non riesci a buttare perché te l'ha regalata una persona cara.

– Tutti si stanno vicini in quel modo.

– Non è vero. Creano rapporti in cui c'è sempre il presupposto di qualche sofferenza. La possibilità di tradire o venire traditi, di deludere o venire delusi. Io sogno un rapporto senza controindicazioni.

– Come il tuo matrimonio?

– Un evento negativo non incide su una teoria esatta. Il crollo di Wall Street del Ventinove non significa mica che il concetto di finanza sia sbagliato.

– Le tue teorie sentimentali hanno avuto sul mondo l'effetto che ha avuto la finanza?

– Ma si può sapere tu che vuoi da me?

– Niente che non voglia anche tu.

– E se ti chiedessi di essere un po' più concreta?

– Ti direi andiamo in Vietnam e in Cambogia per le vacanze di Natale.

– Natale? Vietnam? Cambogia? E soprattutto, andiamo? Tu sei pazza.

– Fa niente, era solo un'idea.

– Odio queste cose borghesi che fanno le coppie.

– Basta così, ho capito.

– Però se tu accettassi di considerarlo uno spostamento con un anaffettivo anziché il viaggio romantico di una coppia innamorata se ne potrebbe parlare.

Era cominciata con delle fitte all'addome, sull'aereo di ritorno da Saigon.

Una volta sbarcati a Fiumicino ero completamente piegata dal dolore e scottavo molto.

A casa avevo scoperto di avere più di quaranta di febbre. Lorenzo aveva chiamato la guardia medica, era arrivato un dottore che aveva detto si tratta di appendicite. O magari in Vietnam ti sei presa l'influenza aviaria. Insomma, meglio che vai subito al pronto soccorso.

Un'ambulanza mi aveva portato in ospedale, e poi da un

ospedale mi avevano spedito a un altro, specializzato in malattie infettive, dove mi avevano ricoverato d'urgenza.

La diagnosi precisa tardava ad arrivare.

Poteva trattarsi di appendicite, o magari davvero di aviaria, poteva essere malaria o una febbre qualunque, anche se molto alta.

I miei genitori si erano precipitati a Roma e si davano il turno per venirmi a trovare tutti i giorni, facendo attenzione a non correre il rischio d'incontrarsi troppo spesso, nell'unica ora in cui mi era possibile ricevere visite.

Mia madre non si capacitava di quanto avesse potuto farmi soffrire in passato una persona tanto gentile e affettuosa come le sembrava Lorenzo, che si dava un gran da fare ad andarla a prendere in albergo e accompagnarla in ospedale.

In effetti non era mai stato tanto premuroso. Mi telefonava in continuazione, si occupava di Efexor e della casa, un giorno mi portava in regalo un piccolo televisore portatile, un altro della frutta secca, un altro ancora l'ultimo numero del fumetto di Julia.

Nonostante la situazione, la sua completa disponibilità mi sembrava quasi sospetta.

– Il tuo fidanzato è spaventato quanto te da questa cosa, – mi aveva detto il primario del reparto in cui ero ricoverata. – Come saprai abbiamo sottoposto a degli esami anche lui.

Non lo sapevo, ma non ho detto niente per farlo andare avanti.

– Per quanto mi riguarda sono praticamente certo che il tuo sia un caso di malaria, ma sai, in attesa dei risultati delle analisi dobbiamo prendere in considerazione tutte le eventualità, compresa quella di una malattia venerea. Ma con un fidanzato come il tuo mi sentirei di stare tranquilli. Ci ha assicurato di avere rapporti solo con te.

E Barbara? E tutte le altre donne che frequentava quando aveva ricominciato a frequentare me? Di solito in questi casi, messi alle strette, si viene a scoprire che magari il proprio compagno ama mascherarsi da donna e prostituirsi, mentre io avevo scoperto che in realtà Lorenzo mi era sempre stato fedele.

Incredibile.

Alla fine risultò evidente che si trattava di malaria. Dopo un altro paio di settimane in ospedale ero stata finalmente dimessa.

– Adesso posso confidarti che con la vita che faccio, quando si è cominciato a parlare di una malattia virale ho avuto una paura fottuta anche per me. – Mi disse Lorenzo, mentre mi riportava a casa.

– Guarda che so tutto.

– Che cosa?

– Che non mi hai mai tradito. Me l'ha detto il dottore.

– Lui mi ha fatto domande solo riguardo l'ultimo anno.

– Ma è da sette mesi che noi abbiamo ricominciato a stare insieme.

– E allora?

– E allora quando mi dicevi che avevi tutte quelle altre donne non era vero.

– O forse non è vero quello che ho detto al dottore.

Era completamente inoffensivo o era un mostro?

Non l'avrei scoperto mai.

– Sono Mimma, ho tredici anni e chiamo da Cosenza.

– Ciao Mimma.

– Parlo a bassa voce perché qui a casa mia stanno dormendo tutti.

– E tu che ci fai ancora sveglia?

– Non ci riesco proprio a dormire.

– Che succede?

– Ecco, non so bene come si dice. Ieri mi sono arrivate quelle cose.

– Ma pensa. Anch'io ho sempre avuto difficoltà a chiamarle per nome, chissà perché. La femminilità, le chiamo. È arrivata la femminilità, penso, quando una volta al mese mi vengono.

– La femminilità. Mi piace. Ma non basta.

– A cosa, non basta?

– A tirarmi su. Sono disperata e ho voglia di ammazzarmi.

– Mimma, ma che cosa dici? Non scherzare.

– Non sto scherzando. Quando ieri mi sono trovata le mutandine tutte piene di sangue, tutte sporche, diciamolo pure, ho pensato davvero la mia vita è finita. Tutte le mie amiche già ce l'hanno, mancavo solo io.

– E allora? Non ti senti più rassicurata, adesso?

– No. Mi sento che non ho più niente di diverso dalle altre. Anche mia madre me l'ha detto.

– Che ti ha detto?

– Sei diventata donna, mi ha detto. Sei diventata grande.

– Se è per questo non devi preoccuparti, Mimma. Mia madre a me l'ha ripetuto non sai quante volte e non mi è mai successo abbastanza.

– Sì, ma qualcosa succede per forza!

– Certo, questo è vero.

– Ecco, e io non voglio. Che devo fare? Devo mettermi le gonne? Devo giocare a Verità o Conseguenza anche se quando scelgo Conseguenza mi fanno baciare qualcuno con la lingua? Devo decidere se andare al liceo classico perché ci andrà la mia amica Teresa o allo scientifico perché vado meglio in matematica? Non mi va. Mi fanno tutte schifo queste cose.

Il processo per la casa nel frattempo andava avanti.

– Non vedo l'ora che finisca tutta questa storia, – diceva. – Non ce la faccio più a vivere come un barbone, un po' da una parte un po' da un'altra. Nietzsche dice che un uomo senza casa è un uomo pericoloso.

– È quasi un anno che vivi qui con me.

– Ma questa è casa tua.

– Potresti mettere i tuoi vestiti in un armadio e sistemare il tuo beauty-case in bagno, così la sentiresti anche tua. Potresti farti mandare la posta qui, invece di continuare a riceverla a casa di Maia e del maestro di respirazione.

– A casa mia, vuoi dire.

– Sì, insomma, cosa voglio dire l'hai capito.

– Odio questo quartiere, lo sai. È costruito esclusivamente per famiglie, non per gente come me.

– E allora potremmo andarcene da qui tutti e due. Mettiamo insieme i tuoi soldi e i miei e ci compriamo una casa da un'altra parte. I miei genitori possono darci una mano. Fra un anno mi scade il contratto d'affitto, dovrei cercare comunque un'altra soluzione.

– E certo, i tuoi genitori ci danno una mano. Così la bambina è contenta e loro si mettono il cuore in pace, tanto ormai c'è Lorenzo a occuparsi di lei.

– Perché fai così?

– E tu perché fai così? Non sono capace di stare sotto lo stesso tetto con una donna, lo sai.

– Ma l'hai già fatto, vuol dire che ne sei capace.

– Sì, e poi hai visto com'è andata a finire? Che sono scesi in campo gli avvocati per fare la guerra.

– Ma io parlavo di me. Intendevo dire che l'hai già fatto con me, lo stai facendo insomma. E mi pare che così male non vada.

– Ma se non sono ancora riuscito a trovare una stanza giusta per mettermi a scrivere e recuperare un po' di concentrazione?

– Non è vero. Scrivi pezzi per il giornale, introduzioni, saggi di cui parlano tutti, non ti ho mai visto lavorare così tanto.

– Io parlo del mio libro.

– Per quanto riguarda quello non credo c'entri molto la casa.

– Certo che c'entra. Io ho bisogno di non sentire sempre il fiato di una persona innamorata sul collo. Ho bisogno di non dovere spiegazioni a nessuno, se per una sera o due o per una settimana decido di dormire fuori.

Parlava di libertà e indipendenza eppure era la persona più schiava e dipendente che avessi mai incontrato. L'immagine che aveva di se stesso lo soggiogava e non gli concedeva molti margini per scegliere qualcosa perché davvero lo volesse lui, perché intimamente lo riguardasse.

Lui era quello destinato a rovinare sempre tutto, era una nullità, uno scarto, era lo zingaro, l'uomo senza possibilità di futuro, senza speranze.

Aveva messo in piedi un matrimonio fatto apposta per fallire.

E che una volta fallito infatti gli era servito moltissimo per rafforzare il suo personaggio.

Uno che per una volta ha scelto di provarci e guarda che cosa è successo.

Uno che dunque non ci proverà mai più.

Il peso dell'ambiguità a cui mi sottoponeva a volte diventava insostenibile.

Vivevo ogni giorno nella condizione precaria di chi fa il lavoro che ha sempre sognato, ma ha firmato un contratto a termine.

Quando meno se lo aspetta potrà venire licenziato. Quando meno me l'aspettavo sarei potuta di nuovo venire abbandonata. Di nuovo dimenticata.

– Diciamolo, siamo un aereo che non è mai decollato,– mi diceva a volte.

– Sei la donna a cui in assoluto ho dato di più, – mi diceva altre volte.

Soprattutto quando arrivavo sul punto di lasciarlo. Quando gli ficcavo in una busta i suoi vestiti sparsi per casa e gli urlavo se stai così male qui con me allora vattene per sempre, vattene affanculo. Quando scoprivo il suo ennesimo tradimento o il suo ennesimo tentativo perverso di lasciarmi intendere qualcosa che magari non era mai successo. Quando gli sputavo in faccia e gli dicevo tu vuoi mandarmi di nuovo in una clinica psichiatrica, ecco che cosa vuoi.

In quei momenti era come se si svegliasse dal sonno del suo egocentrismo.

Come se improvvisamente si accorgesse che c'ero.

Proprio quando facevo per andarmene e gli davo le spalle, lui mi riconosceva.

Se perdo te perdo tutto quello che ho, mi diceva.

Sei la mia allegria.

La mia salvezza.

Nel frattempo, tantissime cose.

Lorenzo veniva in radio con me e lo intervistavo in una puntata speciale dedicata a tutti gli ascoltatori con cui mi ero sfogata quando ero rimasta sola. Gli ascoltatori telefonavano per parlare con lui e dirgli non permetterti più di fare soffrire Lidia e lui rispondeva a tutti la donna è una palla al piede e li faceva innamorare e ridere. Mi faceva innamorare e ridere. Si convinceva a tornare da un medico e a prendere un nuovo antidepressivo. Diceva basta all'eroina e stavolta sembrava riuscirci. Portavamo Efexor in campagna e gli facevamo fare il bagno al lago. L'astinenza lo portava a fare e a dire cattiverie inaudite, ma subito dopo mi chiedeva scusa e mi chiedeva pazienza, aiuto. Tornava l'estate e ci andavamo a nascondere per un mese ad Astypalea, un'isola greca azzurra e lontanissima. Facevamo mattina a parlare della mia allergia ai peperoni, del taglio di capelli più adatto a nascondere una traccia di calvizie che cominciava a spuntargli, del perché mai le nostre debolezze potessero trasformarsi nei più feroci ricatti da fare agli altri. Passavamo il Capodanno salendo sulla Montagna Sacra della Sierra Madre Orientale. Facevamo l'amore. Senza mai usare precauzioni.

– Ormai è un anno che lo facciamo così, non ti pare strano?

– Cosa?

– Non sono mai rimasta incinta.

– Che vuoi dire?

– Che sarebbe bello.

– Avere un bambino?

– Sì.

– Se succede io mi ammazzo.

– Allora è il caso che da oggi in poi ricominciamo a stare attenti.

E all'improvviso lui mi gridava sei una troia, mi vuoi incastrare e spaccava una sedia contro il muro. Io mi mettevo a piangere.

Ricominciava l'inferno.

Chiamate, come al solito, al numero verde 800 77 71 77. E vediamo di rendere questo venerdì sera un po' più sopportabile. Per Silvia, per voi. E anche per me.

Giro la chiave nella toppa, Efexor mi viene incontro saltandomi addosso e per aria, pazzo di felicità. Ancora non dà per scontato che se esco di casa, prima o poi tornerò. Nessuno può capirlo più di me: ormai sono quasi due anni che Lorenzo vive a casa mia, ma come ogni sera anche stasera mi assale l'ansia sottile di non trovarlo più. D'altronde non ha mai messo il suo spazzolino accanto al mio in bagno, non ha mai sistemato i suoi vestiti in un armadio.

Vivo con un uomo che tiene il suo beauty-case sul tavolo della cucina e i suoi vestiti sparsi per la casa, un po' accartocciati in una busta, un po' in uno zaino, un po' per terra, dove capita.

Lo trovo sul divano, che dorme. Ha la bocca aperta e russa. Sul pavimento qualche filtro di sigaretta, nella tazza con i gatti dove bevevo il latte da piccola ci sono i mozziconi di una ventina di canne. Da qualche parte, nel sonno, si accorge che sono tornata. Ciao piccola, mastica. Gli carezzo la testa e lui scatta in piedi, impaurito. Che c'è?, domanda. Niente, c'è che ti amo, gli dico io. Lo sai che non devi spaventarmi mentre dormo, mi sgrida lui, e torna nella sua posizione. Dopo pochi minuti russa di nuovo. Controllo la mia mail. Vado a dormire anch'io. Se durante la notte si sveglierà per pisciare forse si sposterà nel letto con me. Altrimenti no.

Si sveglia verso mezzogiorno, come al solito.
– Come va?
– Di merda.
– Coraggio.
Lo accompagno a fare colazione al bar sotto casa. Sembra avere fretta.
– Dove devi andare?
– Alla Biblioteca Nazionale. Ma odio certe domande, lo sai.
– Dicevo per dire.
– E io no. Lo dico perché lo penso veramente.
Ultimamente le nostre giornate cominciano sempre così, ma può capitare che nel pomeriggio vadano un po' meglio e di sera diventino perfino belle.
Al processo di Lorenzo manca solo l'udienza finale, ci siamo.
Il suo libro invece continua ad affondare nel pantano di una forte crisi creativa. L'ha ambientato a Parigi, negli anni in cui studiando alla Sorbona con un dottorato ha scoperto tante cose. Ha scoperto il canto delle sirene, come lo chiama lui. E così vuole intitolare il suo libro. Che però rimane fermo a pagina sessantasei.
– Chissà, magari anche quello che scrivi paga il prezzo della carcassa di un personaggio che avevi creato fuori e dentro ai libri e che non corrisponde più alla persona che sei diventato.
– Secondo te uno che ha sempre scritto di essere un fallito e che la vita fa schifo all'improvviso dovrebbe mettersi a dire che la vita è bella? Magari potrebbe lanciarsi in un elogio della vita di coppia e delle agrodolci abitudini del fine settimana, che ne dici?
– Non intendevo questo.
È sempre più faticoso parlare con lui.
Lo bacio e gli dico a più tardi.

È sabato e oggi il mio programma non va in onda.

Lorenzo torna a casa a sera inoltrata e mi trova sotto la doccia.

Entra in bagno e mi dice di sbrigarmi, perché deve raccontarmi una cosa.

Lo fa con il distacco di sempre, senza quello che propriamente si definisce entusiasmo, ma è comunque strano da parte sua un comportamento del genere. Di solito sono io a chiedergli se gli è capitato qualcosa di bello durante la giornata e lui a rispondermi con monosillabi vaghi e piuttosto infastiditi.

Lo raggiungo in cucina, dove lo trovo con lo sguardo perso sullo schermo del suo computer portatile.

– Siediti e mettiti comoda, – mi dice. – Leggi questa mail che mi è arrivata oggi. – E gira verso di me il computer.

------------------------ Original Message -----------------------

>From: brianahern@hotmail.com
>To: lorenzoferri@yahoo.it
>Sent: Saturday, February 11, 2006 2:34 AM
>Subject: LA ZONA CIECA

>Caro Lorenzo,
>ti chiamo caro perché quella e un po maleducata
>confidenza che chi legge un libro si prende nei
>confronti con chi l'ha scritto. È tempo che desidero
>contattare te, ma aspettavo fino adesso perché non
>volevo fare questo a mani vuote, come si dice.
>I tuoi libri anche se non sono scritti nella mia lingua di
>originale sono dal sempre per me fonte della ispirazione,
>della meravilia e dello conforto, e già parlare di essi (se
>pure propio a te) mette fra me e loro delle espressioni

>e dunche una distanza che disturba me.
>Scusa per il mio italiano e per la fatica in generale a
>fare capire me: sul primo sto cerco di fare il possibile
>da dieci quasi anni, sulla seconda lasciavo da tempo la
>speranza di risolvere lei.
>Mi chiamo Brian, sono di Dublino, potremmo esserti
>padre. Ho conosciuto la strada, la prigione, una certa
>fama come musicista (forze la prova più dura!) e dopo
>la morte del mio compagno italiano ho traferito
>me qui e trovato una specie di pace nel Monastero
>Tibetano di Pomaia, dove insegnio meditazione e ho
>tanto tempo per il mio interesso principale, quello del
>astrologia e del sensitismo, pratica che imparavo
>directamente da uno sciamano durante quella che mi
>sembra la vita di un altro e invece era la prima metà
>della mia.
>Tutto quello per dirti che sulla copertina dell'ultimo
>libro tuo ho trovato la data tua della nascita, e per
>ringraziare te del dono che ogni libro tuo è stato per
>me, ho fatto una mappa astrale che se darai a me un
>indirizzo manderò a te (ho trovato questo tuo indirizzo
>di mail dopo che ho chiesto gentilmente alla tua casa
>editrice). Ma inoltre alla mappa concentrato sulla
>tua persona ho fatto anche un viaggio nel passato tuo,
>nel presente e soprattutto nel futuro. Concentrandome
>su di te e poi abbandonandome, secondo la pratica
>sciamana, ho visto prima di tutto un livido enorme che
>proibiva me nello andare avanti e che forze lo fa anche
>con te. Appartienge a una ferita bambina ma causava
>tante altre ferite.
>Poi mi sono concentrato sui fati della tua vita (di solito
>più utili a chi ascolta me) e ho visto nell'origine la
>figura di due donne buone (tua madre? tua sorela?) e
>due uomini (tuo padre? tuo fratelo?). Deto questo nel

>passato proximo tuo ho visto molte figure di donne
>che noi chiamiamo demoni, perché è chi sta
>male che attira loro ma lo fa in buona fede e loro fanno
>quello che lui vuole in realtà e non ha il coraggio di
>fare: distruggerlo, morirlo. Queste donne viaggiano
>tutte insieme, come spesso succedde in questi casi
>sembrano diverse ma vengono dalla stessa parte.
>Dovrebbero già però avere fatto male e tu le stai per
>eliminare. Se non è così fai l'attentione, perché adesso
>vedo nel tuo presente e sopratuto futuro GIOIA E LUCE –
>che pero non ti tolieranno mai il buio da dove
>prendi la scrittura, questa è una maledizione ma anche
>una benedizione del destino tuo – e queste presenze
>anche se tu credi di gestire sono loro che gestiscono la
>tua possibile gioia.
>Nel tuo presente perché vedo la cosa che
>maggiormente ha stordito me, una donna di quelle che
>noi chiamiamo figure angeliche nel senso di
>trasportatrici da una zona a un'altra della
>COMPRENTIONE e dunque della ESPERIENZA. Vedo una
>donna molto bella con LA STELLA DELLA
> COMPRENTIONE sulla fronte. Vedo fra voi una energia
>che quasi fa male a me che il mio compagno che
>amavo l'ho perso. Naturale che in questo quadro non
>manca la luce del successo, ma è una luce che è
>spontanea, l'avrai SENZA DUBBIO, mentre l'altra, quella
>della vita personale, non è così scontata.
>Se mi darai il tuo indirizzo manderò la mappa con
>tutte queste cose scritte melio, sperando di non avere
>disturbato te o impaurito. Non avrei contactato te se
>avessi visto cose spaventose, ma siccome ho visto per
>te delle cose grandi e miliori pensavo era giusto farlo
>sapere a te: sai Lorenzo, dele volte siamo tanti stanchi
>e se qualcuno magari guarda noi, afferà

>posibilità che a noi fuggono. Le cose che li altri
>observano di noi e che noi nemmeno imaginiamo,
>quela che inzomma nela pratica sciamana si dice
>ZONA CIECA, a volte vede in maniera miliore dei occhi
>nostri. Da una foliolina di inzalata che è rimasta a noi
>frai denti dopo mangiato, a un futuro con la luce, chi
>guarda da fuori può indicare a noi cose che noi su noi
>non sapiamo e invece è bene sapere. Tutto qui. Questo
>il senso del mio abandonare me con la mente per avere
>visioni sule persone care.
>Forze penserai che sono solo un vecchio frocio
>colione. Sicuro sono anche quello!
>Un abbraccio forte e grazie per tutto.
>Tuo Caro
>Brian.

Lorenzo mi guarda con l'ansia di un bambino in attesa di risposte. Non l'ho mai visto così sinceramente emozionato, prima d'ora. Anzi, non l'ho mai visto sinceramente emozionato, prima d'ora.

– Allora? – mi chiede.

– Straordinario, – gli dico.

– Ti rendi conto, Lilo?

– Davvero, non ho parole. La composizione della tua famiglia, il livido, le donne del tuo passato. Me. Ha indovinato tutto, pazzesco.

– Ma non è mica quello l'importante. – E torna immediatamente alla stizza di sempre. – Non credo che le sue parole vadano prese alla lettera.

– Come no?

– Ma no, è chiaro.

– Secondo me sbagli. Lui parla di visioni precise, più

chiaro di così. Anzi, ti prego, gli scrivi la mia data di nascita così fa la mappa pure a me?

– Lo vedi che non capisci proprio niente? Il mistero di questa lingua, il suo potere taumaturgico. Non meriti più che ti legga mezza riga di quello che mi scriverà Brian. È uno che sicuramente ha studiato sul *Libro tibetano dei morti*, lui, è uno che ha letto Gurdjieff. Mica è l'astrologo di "Vanity Fair" che piace a te.

...insomma, io so che la mattina al bar prende sempre un caffè macchiato in tazza grande e un cornetto integrale, so che legge "Repubblica" e "Il Sole", so che il martedì gioca a calcetto e a volte anche il giovedì, so tutto di lui, sono arrivata a pedinarlo, a farmi trovare per caso nei posti dove va, cerco sempre di fare o dire qualcosa per essere notata e niente, per lui rimango sempre e solo un'alunna di Diritto privato come tante altre, come tutte le altre. Non si ricorda nemmeno come mi chiamo, ti rendi conto? Si comporta come se fossi trasparente, Lidia. Sentire che per lui non esisto è terribile. Mette molta più angoscia di venire presa in considerazione e rifiutata. Che posso fare?

------------------------- Original Message -----------------------

>From: lorenzoferri@yahoo.it
>To: brianahern@hotmail.com
>Sent: Saturday, February 11, 2006 11:26 PM
>Subject: R: LA ZONA CIECA

>Carissimo Brian,
>mi mancano le parole: le hai usate tutte tu. Sei una
>persona straordinaria e non so come ringraziarti
>per quello che hai fatto per me con la tua mente.
>Sono rimasto davvero commosso, e provare una
>sensazione così forte (soprattutto se positiva!) è un
>miracolo per me. Infatti mi sento di confidarti che
>non sto passando un buon periodo: sono molto
>agitato, ho paura di qualcosa e non so nemmeno bene
>di che cosa. Per questo le tue parole mi hanno fatto
>tanto bene. Perché io sono molto confuso e loro mi
>sembrano piene di verità. Ancora non le associo tutte
>a delle figure e a degli eventi della mia vita, per ora
>riesco ad ascoltarle solo con il mio "orecchio
>interno". Per questo ho bisogno di rileggerle ancora e
>di meditarle molto lentamente.

>Io non sono una persona buona, non potrei mai fare
>per te quello che hai fatto tu per me, ma di sicuro
>le persone buone so riconoscerle, e ti ringrazio di
>cuore.
>Con affetto e meraviglia,
>Lorenzo

Lorenzo ieri ha risposto così a Brian. Non ho letto questa mail perché sono entrata di nuovo in possesso della sua password. Me ne guardo bene.

Ho letto questa mail perché Brian non esiste. Perché Brian sono io.

È successo venerdì sera, quando sono tornata a casa.

In cucina il frigorifero era rimasto aperto, nel lavandino uno scolapasta pieno di spaghetti avanzati, quattro lattine vuote di birra accartocciate e buttate per terra, la chiazza di una pipì di Efexor che evidentemente non era stato portato fuori per tutto il giorno e non aveva più resistito. In salotto Lorenzo dormiva sul divano.

Niente che non avessi già visto.

Mi sono messa al computer per controllare la mia posta, e invece mi sono ritrovata sul sito di Hotmail per registrarmi e creare un nuovo indirizzo. Così, per gioco.

Brian Ahern è il nome del figlio affetto da sindrome di Down della famiglia irlandese dove quando facevo il liceo ero stata ospite un'estate, per imparare l'inglese. Un ragazzone che rideva sempre, si nascondeva nell'armadio della mia stanza per vedermi nuda e collezionava tappi di penne a sfera. Non so come e perché ho pensato proprio a lui.

Il resto è venuto da sé.

L'omosessualità, una vita ambigua alle spalle, la passione per i suoi libri, una certa ironia: tutte caratteristiche per cui

Lorenzo ha un debole. E in nome delle quali anche una scelta di spiritualità può assumere ai suoi occhi significati diversi da quelli di un semplice rifugio.

Il monastero tibetano di Pomaia, dalle parti di Pisa, è stata una delle mie tante inutili tappe per dimenticare, quasi due anni fa.

L'invito a non concentrarsi sui fallimenti veri o presunti del passato e a non perdere di vista tutto il resto è quello che faccio a Lorenzo da sempre.

Lo stesso vale per le rassicurazioni riguardo al suo lavoro, al suo talento come uomo e come artista e al suo futuro.

Voleva essere uno scherzo, tutto qui.

La nostra storia è sempre vissuta di personaggi immaginari che ci aiutano a rendere più tollerabile il fatto che noi invece esistiamo davvero.

Pensavo che alla terza riga di quella lettera Lorenzo avrebbe già capito tutto.

Che quando fosse arrivato alla *donna molto bella con la stella della comprentione sulla fronte* mi avrebbe chiamato per dirmi tu sei scema come lo sa dire lui e che ci saremmo messi a ridere.

Mi sembrava impossibile che qualcuno potesse credere a un vecchio sciamano ex fricchettone che si diverte a vedere che cosa succede nelle vite degli altri.

E invece Lorenzo ci ha creduto. Con quell'ingenuità disarmante propria solo dei bambini e dei narcisisti come lui. Che in un caso si tratti di innocenza nei confronti del mondo e nell'altro di indifferenza poco conta, il risultato è lo stesso.

E allora ecco che Lorenzo non solo accoglie Brian senza esitazioni, ma lo fa *con meraviglia*.

Ecco che quelle parole misteriose sembrano dargli immediatamente il conforto che io non riesco a dargli. Che quell'italiano stentato riesce a ricevere in cambio la sua impossibile attenzione.

Ecco che dopo anni in cui a parlare con lui mi è sempre sembrato di pescare nel vuoto, improvvisamente sento che l'amo comincia a tirare.

Succede qualcosa.

A questo punto non mi rimangono altre possibilità.

Devo andare avanti.

Insomma, non è che mi obblighi qualcuno a farlo.

Diciamo che voglio, andare avanti.

------------------------ Original Message ------------------------

>From: brianahern@hotmail.com
>To: lorenzoferri@yahoo.it
>Sent: Monday, February 13, 2006 9:13 AM
>Subject: IL PENSIERO IMOBILE

>Caro caro Lorenzo,
>sono stato molto felice di ricevere te come risposta,
>poiché pensavo che cestinavi me come la lettera
>invasiva di un disturbatore.
>Dispiace però per quello che scrivi a me, che non è
>un buono periodo per te. Questo lo so, lo ho visto
>dala zona cieca del abandono sciamano, come
>scrivevo. E LA PAURA che esprimi la esprimevi senza
>dirla pure con il resto delle tue righe nella lettera:
>anche io infatti usavo il mio ESSERE CATIVO e sapere di
>avere fatto nel passato azioni davero gravi, COME
>DIFESA per la posibilità di tutte le altre esperienze. No
>so se spiego me. Proprio dire a se io sono questa cosa
>rende ciechi noi rispecto a quello di complexo che
>veramente siamo e che è il mondo, nel BENE e nel
>MALE, che poi secondo me e i testi che studio sono
>solo CONSEQUENZE DEL PENSIERO.

>Non fa niente se le mie parole della prima lettera ti
>hanno riso o non ti sono tanto importate, quello che
>preoccupa me è se fai così – cioè dici “SONO CATIVO”,
>e dunque in realtà HO PAURA – di fronte alle cose che
>capitano e così non interessi di ELIMINARE quelle che
>a te fanno male e di PROTEGGERE quelle che a te
>fanno melio, è tutto uguale perché sei sempre uguale te.
>Io, come dicevo, ho qui la mappa tua, se ti vorrà un
>giorno di mandare a me il tuo indirizzo te la spedisco.
>Il fatto è che ho preso te a cuore e tu mi dici
>straordinario ma devi sapere che oramai sono poche
>le cose e le persone che mi concentro e interesso
>davero. In te, dai tuoi libri, da questo che ho visto e
>che ho letto nella tua lettera, vedo tante cose che
>somiliano a me, a quando giocavo a perdere tutto per
>non rispondere alle cose che sentivo in una maniera
>unica e dunque comunque sballata.
>Purtroppo siamo uno e une sono le cose che
>possiamo fare, dire, amare, scelgiere: la paura io
>credo nasce da quante sono tutte le scelte. Ma io a un
>certo punto ho detto a me: ma se non vivi niente
>TUTTE LE SCELTE che fanno spavento SONO UNA DI
>PIU’ ! E quel’una la ho tolta (e dunque fatta) con li
>studi, con la divisione con Enrico il mio compagno e
>con il venire in Italia con lui anche adesso che più
>non ci è.
>La mattina non sono un buono scrittore, scusa me.
>Un forte abbraccio Lorenzo, ti penso e ti sostegno da
>lontano, NON SEI SOLO, saperlo.
>Non avere paura. Niente può fare a te male e ciecare
>come la potenza del PENSIERO TUO IMOBILE su di te.
>Tuo,
>Brian

Ovviamente non ho nessuna mappa astrale a disposizione e anche se fosse non vedo proprio come potrei spedirla a Lorenzo con il timbro postale di Pomaia.

Ma Brian è più bravo di me nel vivere alla giornata. In qualche modo se la caverà, mi fido di lui.

E così per il momento mi è utile insistere sulla mappa per fare in modo che Lorenzo con la storia del suo indirizzo abbia un motivo in più per rispondere un'altra volta. Perché altrimenti non è detto lo faccia.

Lo conosco bene e ormai so quanto viva di sentimenti che gli esplodono dentro all'improvviso e non fa in tempo a riconoscere che già si sono spenti, mentre lui non ha avuto il modo nemmeno di dargli un nome, di associarli a una persona, a una situazione. Tutto a quel punto gli si confonde dentro e l'espressione di quei sentimenti rimane per sempre negata a se stesso e agli altri.

Con Lorenzo, quando s'entusiasma rapidamente di qualcosa, non bisogna mai perdere di vista la possibilità di un disinteresse altrettanto rapido per quella stessa cosa.

E invece Brian deve farcela. Deve entrargli dentro senza avere fretta, come un veleno dolce, per poi rimanere, come io non sono ancora riuscita a fare.

Anche per questo non ho nessun bisogno di scoprire attraverso di lui se Lorenzo ha ricominciato a tradirmi, se non ha mai smesso di farlo o se ci sono ancora particolari della sua vita che io non potrei neanche immaginare.

Penso di sapere quanto basta, ormai.

Se anche non bastasse, la mia unica reale conquista è aver capito che comunque non basterebbe mai.

E allora lo scopo di Brian non è quello di indagare, ma di rivelare.

Non di ricevere informazioni, ma darne.

Non di ascoltare problemi, ma proporre soluzioni.

Perché Lorenzo possa liberarsi dal peso che lo opprime,

guardarsi con gli occhi ammirati con cui lo guardano tutti, perché non viva solo di atti mancati e occasioni perdute, perché torni a scrivere, perché non si abbandoni.

E, se è possibile, perché non abbandoni me.

Da qualche settimana ho cominciato seriamente a cercare una casa da poter comprare.

Alla fine di quest'anno il mio contratto di affitto scadrà e non ho intenzione di rinnovarlo.

Mi sento pronta per la responsabilità di un posto che sia mio una volta per tutte.

Nel frattempo Lorenzo avrà recuperato parte dei soldi del suo appartamento e deciderà cosa farne. Se comprare un nuovo appartamento dove andare a stare oppure se affittarlo ad altri.

E in quel caso venire a vivere con me.

Per il momento preferiamo rimandare l'argomento, perché ogni volta che lo affrontiamo finiamo per litigare.

– Dopo la botta sulle palle della casa che ho perso, ecco che me ne dai un'altra tu chiedendomi di vivere con te.

– Non mi sembra sia esattamente la stessa cosa. Ma hai talmente tanta merda in testa che la vedi da tutte le parti, senza distinzioni.

Le nostre paure ci spingono a livelli di volgarità inaccettabili.

E inaccettabile è principalmente il fatto che la nostra convivenza sia tanto discussa, lo so, e non avvenga assecondando un processo spontaneo, come per tutte le altre coppie.

Ma so anche che se fossi andata in cerca di processi spontanei non avrei scelto di stare con Lorenzo ogni giorno di questi ultimi anni.

Tutti e due abbiamo capito che la questione della casa sarà fra noi decisiva per avere un futuro che non abbia la casualità di un beauty-case lasciato in cucina.

E così finché ci è possibile prendiamo tempo. Stiamo a vedere. Navighiamo a vista nell'ambiguità.

Per quanto mi riguarda, studio annunci e vado a visitare appartamenti.

– Ne ho trovato uno che sembra fare al caso mio, o nostro che sia. È in via Buonarroti, dalle parti di piazza Vittorio. Che fai, vieni anche tu a vederlo?

– Oggi non posso, vado in campagna.

Per quanto lo riguarda, ogni volta che non sa esattamente cosa vuole fare si rifugia da solo a San Liberato.

------------------------ Original Message -----------------------

From: lorenzoferri@yahoo.it
To: brianahern@hotmail.com
Sent: Friday, February 17, 2006 7:26 PM
Subject: R: IL PENSIERO IMOBILE

>Carissimo Brian,
>la tua nuova lettera mi ha fatto tanto, tanto piacere, e
>come ti avevo promesso ho riletto la prima con più
>attenzione. In questi giorni infatti sono da solo nella
>mia casa di campagna, un posto ideale per il
>raccoglimento. Proprio qui mi sono accorto che da
>quella zona dove io sono cieco e tu ci vedi così bene,
>hai fotografato la mia vita in maniera perfetta, e che
>quando ti ho scritto la prima volta per ringraziarti
>ancora non me ne ero reso conto. Di solito il fatto che
>gli altri, guardandoci dall'esterno, possano capire
>cose di noi che nemmeno noi stessi sappiamo è
>inquietante. Ma invece la precisione delle tue visioni
>su di me e le tue parole mi danno coraggio.
>Aspetto con ansia e gratitudine la mappa che hai fatto

>per me. Il mio indirizzo è via Natale del Grande 185,
>a Roma. Ho abitato lì qualche anno, adesso non più,
>ma ci passo ogni settimana a prendere la posta: ti
>sembrerà strano ma da un po' di tempo sto vivendo
>come un vagabondo, senza fissa dimora, in attesa di
>recuperare i soldi per una casa o di recuperare forse
>la capacità di stare fermo in un posto senza pensare
>con nostalgia a tutti gli altri in cui in quel momento
>non sto.
>Ma passiamo ad altro. Caro Brian, tu sei così gentile,
>e scusa se ne approfitto, ma pensi che mi farebbe
>bene leggere qualche cosa? Che ne pensi de "Il libro
>tibetano dei morti"?
>Io a un certo punto della vita non sono più riuscito a
>studiare nulla, quando ero più giovane era diverso,
>ora non ho più concentrazione, chissà dove è finita!
>Qui è una bella giornata, spero anche a Pomaia.
>Baci,
>Lorenzo

------------------------ Original Message -----------------------

>From: brianahern@hotmail.com
>To: lorenzoferri@yahoo.it
>Sent: Sunday, February 19, 2006 9:51 AM
>Subject: Testi sciamani

>Lorenzo caro,
>che tu passi una buona giornata!
>Chiedi a me alcuni testi da leggere e io qui rispondo a
>te che certo, il libro tibetano è stato per me molto
>importante, anziché, fondamentalo.
>Però ci sono pure letture più facili per chi è al

>principio, come per exempio i testi di Sandra
>Ingerman, di Michael Harner e sopratuto di Joan
>Halifax che concentrato sulla figura del WOUNDED
>HEALER, che in Italiano non so benissimo come
>tradurre ma vuol dire una PERSONA FERITA che
>proprio per quello sa curare, spiega molto questo che
>io credo. Fidati infacti SEMPRE di persone che sono
>state tanto male di testa e di corpo e che poi sono
>guarite: i VERI SCIAMANI posibili SONO LORO
>solamente, pure se da fuori sembrano persone al
>rischio e persone che non controllano la loro tropo
>forte sensitività o sensibilità come si dice.
>Una grande maestra poi è Nadia Stepanova, leggi la
>sua autobiografia scritta attraverso Sicilia di Arista: a
>volte Nadia torna in Pomaia per lezioni, la proxima
>volta magari vieni a sentire lei che pure è giunta a
>guarire prima malandò sé stessa.
>Questo è tutto per adesso. Buona letture e buon
>viaggio allora! Presto spedisco la mappa tua a quello
>indirizzo (anche se non ricevo da esso buone
>sensactioni, non so come spiegare).
>Ricorda a te di non avere paura se non del PENSIERO
>TUO IMOBILE e di fidare di quanto di buono per te ci è
>nela zona a te per ora cieca.
>Tuo,
>Brian

"Il wounded healer è il medico ferito. E solo il medico ferito può guarire. Questa è la tesi con cui si conclude ogni arrampicata celestiale, sciamanica, dell'albero del mondo. Solo il medico ferito può guarire. Lo sciamanismo è infatti una forma del processo di cura personale e altrui attraverso un processo di individuazione: lo spirito dello sciamano (vero wounded healer) lascia il corpo e va nei 'mondi altri' per adempiere la funzione trascendente nel recupero e nella comprensione dei segreti di guarigione per la comunità. In questo caso il mondo sta per la comunità."

C'è scritto sul sito www.fuocosacro.com. Alla richiesta che Lorenzo ha fatto a Brian di testi su cui poter studiare la cultura sciamanica, presa alla sprovvista ho fatto una ricerca in Internet e ho trovato tutto quello di cui avevo bisogno per ostentare una conoscenza che non ho.

Google è un amico che non ti abbandona mai.

------------------------ Original Message ----------------------

>From: lorenzoferri@yahoo.it
>To: brianahern@hotmail.com
>Sent: Sunday, February 19, 2006 7:23 PM
>Subject: Grazie Brian!

>Leggerò tutto con grande attenzione.
>Quando si fa sera la campagna diventa molto grande
>e io mi sento troppo solo, ma la velocità e la cura con
>cui hai risposto alle mie curiosità adesso mi fanno
>compagnia.
>Grazie, Brian!
>È un regalo che esisti.
>Lorenzo

– Hai presente Brian, lo sciamano? – È notte fonda quando mi telefona dalla campagna.

– Certo che sì. Perché, continuate a scrivervi?

– Eccome. E oggi mi è venuta la curiosità di andare su

Google a cercare notizie su di lui. Ricordi che nella mail che ti ho letto scriveva di esser stato molto famoso, in passato?

– Mi pare di ricordare qualcosa, sì.

Benissimo, penso. È finita. Il gioco è stato bello ma è durato poco.

– Non hai idea di che cosa ha fatto nella vita quell'uomo! Ha prodotto artisti pazzeschi tipo Anne Murray, si è inventato dal nulla Emmylou Harris, la più grande cantautrice folk che sia mai esistita, è stato amico di Truman Capote, ha suonato sul palco di Woodstock!

Non è possibile.

– Davvero?

Credevo che il figlio della mia famiglia irlandese almeno sul suo nome potesse vantare una certa esclusiva.

– Sì. Se vai sulla sezione di Google dedicata alle immagini puoi vedere anche una sua foto, di qualche anno fa credo. Aveva proprio la faccia perversa e il fisico sfatto che piacciono a me. E poi un tipo così all'improvviso si è messo a meditare in un monastero. Pensa te. Certo che la vita ha molta più immaginazione di noi.

– Mi manchi.

– Anche tu. Domani torno a Roma.

Finisco la telefonata e vado anch'io a vedere la foto che ha tanto colpito Lorenzo. Digito "Brian Ahern" e mi compare un tizio robusto, con un barbone rosso e l'aria incazzata e ubriaca. La didascalia della foto parla di un importante produttore musicale irlandese.

La vita ha molta più immaginazione di noi, è proprio così.

Google è un amico che non ti abbandona mai.

E che se può fa miracoli.

Brian Ahern
287x350 - 43k - jpg
www.uaudio.com

Quando torna dalla campagna come da qualsiasi altro posto dove è stato per qualche giorno, ci mettiamo sempre un po' a riconoscerci.

Ogni volta che Lorenzo si allontana infligge delle piccole morti al nostro rapporto, non telefonandomi mai o facendolo solo di sfuggita.

È il suo gioco nevrotico. E il nostro. Perché io a quel punto mi rintano nei sospetti e nelle paure di sempre e lui al suo ritorno invece di liberarmi alimenta quei sospetti e quelle paure, buttando lì un'affermazione e negandola poco dopo, per poi a un certo punto esplodere di rabbia accusandomi di essere invasiva .

– Se tu non mi facessi domande non sarei costretto a dirti bugie.

– Ma ti ho chiesto solo com'era il film che sei andato a vedere ieri sera.

– Mi hai chiesto anche con chi sono andato.

– Non mi sembra una domanda tanto assurda.

– Se me la fa una donna con cui scopo lo diventa. Ma il punto è questo. Che non dovevamo mai scopare, noi due. Il nostro rapporto oggi sarebbe perfetto.

Ultimamente ha varcato anche l'ultima frontiera rimasta

alle sue provocazioni, quella del sesso. Quando lo assale la smania di distruggere tutto, a volte la trascina anche a letto.

Si stende vicino a me e rimane fermo. Si fa toccare e mi fa salire su di lui. È come se lo facessi da sola. Per il mistero che ci lega, tutti e due riusciamo comunque a venire sempre. Ma subito dopo, è il momento dell'attacco decisivo.

– L'ho fatto solo perché mi sento in dovere nei tuoi confronti.

– Ah. Allora grazie.

– Non fare la spiritosa. È che se fosse per me io non avrei mai voglia.

– Ma come? E tutte le donne con cui mi tradisci? – Gli chiedo, perché lui possa contraddirmi.

– Che c'entra. Quelle sono fiche inesplorate, il loro fascino sta nell'esotismo della novità, – mi risponde lui.

– Allora è vero che mi tradisci.

– No che non è vero.

Andiamo avanti così per ore.

– Vorrà dire che se a te costa tanta fatica fare l'amore con me, vedrò di consolarmi da qualche altra parte, – faccio io, a un certo punto.

– Sì, così finisci di nuovo dritta in una clinica psichiatrica. Non le sapresti mai fare tu certe cose, senza rimetterci la ragione.

Apparentemente sfodera sempre una totale assenza di gelosia nei miei confronti e una grande apertura verso le possibilità che avrei di avere altre storie.

– Mica sono scemo, – dice, – lo vedo come ti guardano per strada gli uomini, lo sento quanto squilla il tuo cellulare, l'ho notato quel mazzo di rose esagerato che ti è arrivato l'altro giorno. Figurati. Ma so che se anche tu fossi la donna di ognuno dei tuoi corteggiatori io sarei riuscito a scoparti. E invece stai con me e loro non ci riescono.

– Basta con questi discorsi, dai.

– Per me nessun discorso è diverso da un altro.
– Lo sai che giorno è domani?
– Devi proprio ricordarmelo?
– In che senso?
– Domani ci sarà la sentenza definitiva sulla casa.
– Non lo sapevo, ma allora avremo un motivo in più per festeggiare, no?
– Perché, quale altro motivo abbiamo?
– Domani è il ventotto febbraio. In mancanza del ventinove, può considerarsi il nostro terzo anniversario.
– E secondo te con l'amarezza della fine del processo in bocca avrò voglia di una cenetta romantica?
– Amarezza? Ma sarà una liberazione!
– Il fatto che quest'incubo finisca non cancellerà mai il fatto che quest'incubo ci sia stato e che uno come me sia finito a discutere di soldi in tribunale.
– Non è possibile, ci rinuncio. Sei destinato a vivere in un film in cui non c'è rapporto fra immagine e suono. Sei sempre asincrono rispetto a quello che ti succede, sempre da un'altra parte. Possibilmente dove ci si possa lamentare.
– Asincrono? Che fai, ti metti a usare paroloni difficili? Attenta, che poi ti fa male la testa.
Mi chiudo in bagno a fumare. Ha esagerato e come al solito se ne accorge troppo tardi. Bussa alla porta del bagno.
– Guarda che scherzavo.
– Sto ancora ridendo.
Posso entrare?
– No.
Entra lo stesso.
– Domani se vuoi prenoto al giapponese. Quello a Monti, che ti piace tanto.
– Vacci da solo al giapponese.
– Lilo, non ti capisco. Perché devi umiliarmi così?
– Ah, perché sono io che umilio te?

– Lo sapevo, io.
– Cosa?
– Che non dovevamo mai scopare, noi due. Il nostro rapporto oggi sarebbe perfetto.
È più forte di lui.

...e insomma ci invitano a questa festa di Carnevale e anche se ci sentiamo un po' ridicoli per l'età che abbiamo, andiamo ad affittare due costumi. Il tema della festa è i personaggi della televisione e allora mia moglie sceglie un costume da Sbirulino e io uno da Gomez, non so se hai presente, quello della Famiglia Addams, il marito di Morticia per capirci. Quella sera ci divertiamo molto e torniamo a casa con una strana voglia, beh, ci mettiamo a farlo come non lo facevamo più da un sacco di tempo, come forse non l'avevamo fatto mai in vent'anni che ci conosciamo e diciotto che siamo sposati. Tre volte in una notte sola, tanto per darti un'idea. Passa qualche giorno e ci riproviamo. Ma niente. Tutto è tornato come prima. Allora mi viene in mente di affittare di nuovo quei costumi, ma così, tanto per farci due risate. E invece ce li mettiamo e succede di nuovo quello che era successo l'altra volta. Mia moglie urla come un coyote, tanto per darti un'idea. Ecco, a quel punto decidiamo di comprarli, quei costumi. E ormai facciamo sesso solo quando ce li mettiamo, non ci proviamo nemmeno più a farlo, come posso dire, canonico. Mia moglie è preoccupata, dice che c'è qualcosa di patologico in tutto questo, ma io non ci vedo niente di male, secondo me l'importante è farlo e farlo bene. Tu che ne pensi?

------------------------ Original Message -----------------------

>From: brianahern@hotmail.com
>To: lorenzoferri@yahoo.it
>Sent: Tuesday, March 7, 2006 11:34 AM
>Subject: LA COLPA CHE NON ESISTE

>Lorenzo caro,
>alla posta dicono a me che al indirizzo tuo manca il
>codice, lo puoi scrivere a me?
>Penso a te e benedico te tutti i giorni, ma prego a te
>non fare a te del male tutto solamente. Non dare
>guerra a quello che vuoli e rimanere così tutto solo
>per essere triste come pensi che devi essere per LA
>COLPA CHE NON ESISTE. So che il momento come tu
>anche mi dici è dificile ma sopratuto lo sento forte
>adeso che ho messo te nei miei contacti di tutti i
>giorni. Sento tanto dolore ma prego a te non fare che
>vince lui. Lo prometto a te, non sei cattivo ma solo ti
>sei fatto tanto male nel tempo della infanzia. Adesso
>basta tuttavia! Fai questo anche nel nome di un
>vecchio frocio come me che troppo tardi ha sveliato
>se. E se lo facevo prima vivevo con Enrico
>quantomeno tre anni di più. Sembrano pochi ma ti

>dico io che diventano tanti se poi la persona tua va
>via, muore.
>Scusame quella invasione, ma sento te come un
>fratello più minore, davero.
>Manda a me il codice se vorrai.
>Non avere paura, fida te stesso delle cose che ho
>scritto a te, e se avevo sbaliato dillo a me, prego, devi
>farlo!
>Tuo
>Brian

Mi sta succedendo qualcosa di inspiegabile.

Quando scrivo per mano di Brian e parlo con la sua voce, entro in una specie di trance e sento franare tutte le certezze che fino a questo momento ho eretto in risposta alle resistenze di Lorenzo.

Comincio a pormi domande che non mi sono mai posta prima. Mi chiedo se non mi sia innamorata di un uomo del genere anche perché dichiara esattamente le mie stesse paure. E perché cercando di asciugare le sue io possa asciugare le mie.

Quelli che ho sempre contrabbandato come desideri lucidi – un legame stabile, una vita insieme, tutto quello che può succedere dopo – si spogliano della necessità di contrastare le insicurezze di Lorenzo, e si rivelano come altrettante insicurezze.

Sarà che sono la sola a conoscere il segreto dell'identità di Brian e voglio ricambiarlo con la stessa sincerità. O forse sarà l'effetto di quella lingua tanto più esatta quanto più inciampa in un errore grammaticale.

Forse sono le fragilità che mette in gioco Brian, e non il suo coraggio, a fare tanta presa su Lorenzo.

E su me.

Passeggiamo lungo le Mura Aureliane.

Le giornate ancora non si decidono ad allungarsi, è un tardo pomeriggio di inizio marzo e sta già per fare buio.

Efexor ci segue fiducioso e zompettante, com'è nella sua natura.

È un posto commovente questo. Una striscia infinita di mattoni messi uno sull'altro che quasi mai è servita allo scopo per cui era stata costruita. Evitare saccheggi, impedire invasioni.

Abito poco lontano da qui e non c'ero mai stata prima d'ora. Ma Lorenzo sta scrivendo un saggio su tutta la cerchia di mura che un tempo circondava Roma e che oggi l'attraversa come una specie di spina dorsale. E allora siamo qui.

Come al solito è lui che mi presenta qualcosa che in realtà dovrebbe essermi familiare. E che invece senza di lui non avrei mai scoperto.

– La bellezza di questo posto è proprio nel suo essere involontaria, – dice. – I romani volevano solo fare in fretta a mettere un mattone sopra all'altro. Mica volevano costruire un'opera d'arte. E invece eccola qui. Guarda oggi che effetto ci fa. Quello che non è stato desiderato ha molto più valore di tutto il resto.

Rimaniamo per un po' in silenzio.

– Ma tu questo sembri non capirlo, – prosegue, con vaga tenerezza. – Quando dico che mi maledico per quanto è successo fra noi, per come abbiamo perso irrimediabilmente qualsiasi distanza di sicurezza, ci rimani male. Ti senti rifiutata. Non pensi che un attaccamento involontario a una persona sia ancora più forte di un attaccamento che ogni giorno ha coscienza di sé. Il mio attaccamento per te non solo è involontario, ma è assolutamente contrario alle mie convinzioni sul fatto che se fossimo rimasti semplicemente amici tutto sarebbe stato più facile e più bello fra noi. Convinzioni che rimangono. E non parlano di una mancanza d'amore, come pensi tu. Tutto il contrario. Questo, per esempio, il mio amico Brian l'ha capito benissimo. È proprio l'amore, se vogliamo usare questa parola orrenda, il mio problema. E il mio problema sei tu.

Gli prendo la mano.

– Anche tu sei il mio problema. Io ti sembro tanto sicura di me perché fa comodo a tutti e due che sia così. Ma mi fa paura tutto. Come fai a non rendertene conto? Io l'ho capito chiaramente proprio nei mesi in cui ci eravamo lasciati. Era come se da quando ci eravamo conosciuti in qualche modo mi aspettassi che dovesse succedere. Insomma, di ogni persona a cui mi lego quello che penso per prima cosa è che un giorno potrà non esserci più. Che potrà abbandonarmi, morire. I miei genitori, perfino Efexor, tu. La vostra mortalità mi è davvero sempre presente, più di quanto mi siete presenti voi. Non lo do mai a vedere, ma è una condizione di angoscia continua, la mia. Chissà cosa succederebbe se avessi un figlio. Chissà dove lo troverei, il coraggio.

– Al di là di tutte le nostre differenze, l'ho capito subito che in questo eravamo uguali, noi due. Bravi ad amare solo quello di cui percepiamo la caducità.

Non ho mai conosciuto nessuno che quando vuole sappia essere tanto esatto e intenso come Lorenzo.

Mi investe forte il mio amore per lui.

E solo ora, dopo tanto tempo, realizzo che le ragioni di questo mio amore – l'esatta intensità di Lorenzo, la sua profonda tolleranza, la sua evidente incapacità di stare al mondo, la sua fiducia completa in uno sciamano che non esiste, la sua ricerca continua, la sua bellezza rara, il suo senso dell'umorismo, la sua diversità da tutto il resto, la faccia che fa quando mangia qualcosa che non gli piace – hanno la stessa origine di quei comportamenti che mi fanno male.

Quella ferita bambina, direbbe Brian.

– Ormai non si vede più niente, torniamo a casa, – dice lui.

Andiamo a casa.

Ci infiliamo sotto al piumone già completamente nudi. Mi scivola dentro subito e si spinge fino in fondo, lentamente.

Facciamo l'amore e parliamo e rimaniamo in silenzio e ancora parliamo e ancora facciamo l'amore.

So benissimo che mai nessuno mi raggiungerà dove mi ha raggiunto lui.

Glielo dico.

– È perché ho un cazzo enorme, – mi risponde. Ridiamo.

Questa è una notte in cui niente può fare paura.

------------------------ Original Message -----------------------

>From: lorenzoferri@yahoo.it
>To: brianahern@hotmail.com
>Sent: Friday, March 10, 2006 2:39 PM
>Subject: LIDIA

>Carissimo Brian,
>come stai? Il mio codice postale è 00184, scusami se
>non lo avevo scritto, come ti ho già detto in questi
>anni ho cambiato casa tante di quelle volte che quasi
>non lo ricordavo più!
>Ancora non mi capacito, caro Brian, di quanto la tua
>energia mentale riesca a vedere perfettamente nella
>mia vita. E nello stesso tempo, accanto a questo tuo
>potere sento una bontà d'animo altrettanto grande.
>Non ho affatto il sentimento di un'“invasione”, come
>l'hai definita, ma di un'enorme PROTEZIONE che mi
>viene da te.
>E sono sempre più convinto che puoi vedermi e
>capirmi con molta più esattezza di quanto io abbia
>mai fatto.
>Proprio per questo, dato che credo tu sappia già

>tutto, è inutile che ti faccia una mia autobiografia
>completa. Ma è arrivato il momento di parlarti senza
>inibizioni, anche se non è la mia specialità. Insomma,
>c'è questa ragazza molto giovane, molto bella,
>straordinariamente sensibile, che ha sofferto davvero
>troppo a causa mia (mi ha pure trovato a letto con
>un'altra!!), con cui sono profondamente unito.
>Io penso di averle un po' rovinato la vita, invece lei
>mi dice che le ho insegnato tante cose e che
>è felice con me. So che lei sente il mio dolore, ma so
>anche che soffre comunque per come mi comporto
>e a quel punto soffriamo tutti perché io soffro
>più di lei per non riuscire a capire e a esprimere
>i miei sentimenti. Non so cos'è: anche una carezza
>a volte mi dà fastidio, o meglio, mi rende triste,
>mi rende triste che qualcuno mi ami, non so
>accettare questo regalo. Ma nello stesso tempo,
>non sono capace di staccarmi da questa persona,
>che si chiama Lidia e mi fa ridere, mi distrae
>dai pensieri spaventosi che ho, mi piace molto
>fisicamente. Pensa che quando mi è arrivata la tua
>prima lettera gliel'ho fatta leggere e anche lei è
>rimasta stordita dal tuo potere. Spero di non
>aver fatto male a condividerti con lei e che per questo
>non ti sentirai tradito da me: scusami, ma lei è
>veramente una parte di me. Proprio per questo vorrei
>tanto essere meno triste per farla felice.
>Intanto ti mando tanti baci, spero che stia bene.
>Tuo,
>Lorenzo

– Magari è colpa della canzone di Nick Cave che hai messo a inizio puntata. Forse invece aveva ragione la mia ex moglie quando mi diceva che interpretare sempre qualsiasi cosa è uguale a non farlo mai, che in pratica si fa lo stesso errore perché il mondo non è fatto né per essere sempre superficiali né per essere sempre attenti – lei in realtà diceva pallosi, ma il concetto è quello. Se non capisci questo non diventerai mai un bravo regista, diceva, i tuoi film saranno sempre e solo una mortale rottura di coglioni, non troverai mai un produttore disposto a finanziarti. In effetti un produttore non l'ho ancora trovato, ma il punto non è questo.

– E qual è, il punto?

– Stanotte c'è 'sto pensiero che mi sta massacrando, Lidia. Insomma, tu te lo sei mai chiesto, in quante foto di quanti sconosciuti ci ritroviamo senza saperlo? In quante foto capitiamo per caso, intendo, e poi rimaniamo lì: per sempre. Perché io oggi mi sono messo a sfogliare i miei album e me lo sono chiesto. Chissà che cazzo di fine ha fatto quella cinesina che passava dietro alle nostre spalle mentre io e la mia ex moglie in viaggio di nozze ci facevamo scattare questa foto davanti al MoMA, mi sono domandato. Chissà di che stavano parlando quell'uomo e quella donna che si vedono sullo sfondo di questa foto che ho scattato a mia figlia in Croazia. Chissà se stavano insieme. Se magari si stavano lasciando.

Chissà quanti sono gli altri, mi sono chiesto, chissà chi sono veramente, che cosa vogliono. Chissà a che cosa pensano, di che cosa hanno paura.

Chissà se la mia ex moglie in viaggio di nozze era davvero felice, chissà se mia figlia quell'estate invece di venire con noi in Croazia avrebbe preferito invece andare in vacanza con i suoi amici.

Perché chissà chi sono, pure quelli che amiamo. Che cosa vogliono.

Prima di telefonare a te ho telefonato alla mia ex moglie per dirglielo. Chi sei tu veramente, le ho chiesto, che vuoi?

– E lei che ti ha risposto?

– Ti ho detto mille volte di non chiamare a quest'ora.

– E basta?

– Ha anche aggiunto lo sai che Giulio – sarebbe suo figlio – dorme. E che Billy – sarebbe il suo nuovo marito, uno che per guadagnare fa gli spogliarelli alle feste di addio al nubilato, ti rendi conto Lidia, ti rendi conto – s'incazza.

Vorrei tanto essere meno triste per farla felice.

– Non raccontiamoci stronzate, noi non siamo una coppia, siamo due persone che si stanno vicine in un momento di difficoltà.

Vorrei tanto essere meno triste per farla felice.

– Odio la tua profondità e la tua ironia, di una donna trovo erotica solo la stupidità.

Vorrei tanto essere meno triste per farla felice.

– Fatti i cazzi tuoi, dove sono stato non te lo dico e comunque non ti piacerebbe saperlo.

Vorrei tanto essere meno triste per farla felice.

– Va bene, lo ammetto, una sera mi sono scopato una francese che ho incontrato a una festa, ma è successo solo quella volta. Forse anche un'altra, ma che conta? Ora come ora ti sono fedele.

Vorrei tanto essere meno triste per farla felice.

– Ce l'avrò sempre con te perché dopo tutto quello che ho passato credevo di meritarmi il premio di una bella amicizia, magari sessuale perché no, senza responsabilità e complicazioni, e non me l'hai concessa.

Vorrei tanto essere meno triste per farla felice.

– È colpa mia se mi vorrei portare a letto tutte le donne che vedo? Voglio essere sincero con te, devi saperlo.

Vorrei tanto essere meno triste per farla felice.

– Non capisco perché ti sei fissata con questa storia della convivenza. Pensi che io in qualche modo possa cambiare? Pensi che possa farti sentire più sicura, più protetta? Povera illusa.

Vorrei tanto essere meno triste per farla felice.

– Io non ci sarò mai nei momenti in cui dovrei esserci, ficcatelo bene in testa. Se muore tuo padre, se muore tua madre, se ti capita un incidente, io preferirò sempre andarmi a fumare una canna da qualche altra parte finché non ti sei risolta i tuoi problemi da sola.

Vorrei tanto essere meno triste per farla felice.

– E non fare quella faccia. Tu devi essere il mio pagliaccio bellissimo e divertente. Altrimenti che senso ha stare insieme?

Vorrei tanto essere meno triste per farla felice.

– Perché lo ammetto, io sto con te per convenienza. Perché sei giovane, bella, guadagni abbastanza da poterti mantenere da sola e non avere bisogno di me, perché se qualcuno mi vede in giro con te può invidiarmi. Punto.

Vorrei tanto essere meno triste per farla felice.

– Mi manca una bella serata tossica con una sconosciuta che non so nemmeno come si chiama e me lo tiene in bocca.

Continua a sentire il bisogno di tutte queste cattiverie. Ma può dirmi quello che gli pare, se in realtà vorrebbe tanto essere meno triste per farmi felice.

------------------------- Original Message ------------------------

>From: brianahern@hotmail.com
>To: lorenzoferri@yahoo.it
>Sent: Thursday, March 16, 2006 10:14 PM
>Subject: IL LATTE E IL SANGUE

>Caro Lorenzo,
>mio fratelo, è un grande regalo per me ricevere quelle
>tue parole, sopratuto durante la sera, quando di più
>riesco a concentrare me e meditare.
>Se lo ricordi io anche avevo scritto a te riguardo una
>figura di donna che sento vicino a te molto forte e
>durante leggevo te capivo che certo è davero LIDIA la
>donna del destino tuo. Tuttavia atraverso questo
>tirare nel ballo il destino non volio che tu confondi
>me per uno di questi stupidi personaggi della new
>age, come si dice. No no!
>Quello che scrivi è tuttavia strano e parla a me molto:
>tu scrivi a me che quella persona ti ama e delle sue
>carezze talmente dure da ricevere. Ebbene, sembra a
>me che parli di lei ma nella verità parli a me di te, non
>cioè del suo di amore, MA DEL TUO PER LEI, tanto
>forte e per questa ragione pericoloso certamente.
>Nella mappa tua quando la spedirò infacti troverai
>che vedo per te L'AMORE DELLA VITA davero ADESSO,
>prima no, solamente figure feminili uguali al pensiero
>imobile, servitore di questo pensiero, come diciamo.
>Tu e Lidia siete propio come IL LATTE DI CAPRA E IL
>SANGUE DI SERPENTE nei riti sciamani: se uniti fate
>magia – nel significato del cambiamento – altrimenti
>no. La tecnica sciamana infacti cura da mille anni e
>più le persone malate facendo bere loro con una
>coppa questi due elementi che SOLO INSIEME

>guariscono. Sembra strano ma così è. Vuol dire che
>nella natura ci sono cose e persone che pure se
>diverse quando si incontrano non possono più
>separare loro perché hanno maggiore senso da
>insieme che no.
>Tu poi sei triste come scrivi a me, ma un giorno
>presto o tardi capisci che ESSERE TRISTI O ESSERE
>FELICI È COME DIRE OGGI FA PIOGGIA OGGI FA SOLE, il
>mondo non pensa che il motivo del tempo cativo e
>perché lui gira forze dalla parte sballata!
>Proteggo te come mio fratelo giovane, ripeto a te.
>Adesso che conosco il suo nome proteggo anche
>LIDIA che tanto bene avevo visto subito e che tanto
>aveva stordito me come avevo scritto a te, come
>figura feminile con la stella e forte davero. Per questo
>STOPPA CON ALTRE DONNE NEL LETTO come scrivi a
>me: ho fatto quello anche io una volta inizialmente
>con Enrico e prima o poi lo avevo perso per un anno
>quasi, prima che tornava lui e io ancora dicevo no.
>Tre anni quasi, prima di capire bene che niente faceva
>a me male più del pensiero mio imobile, come dico
>sempre a te! Pensi che avevo davero la tua età!
>Davero! Scusa me se parlo a te tanto di Enrico, ma
>troppo giovane è andato e manca a me tutti i giorni.
>Per questo non chiedere a me scusa che hai fatto
>leggere la lettera mia prima anche a Lidia, ma sono io
>che devo dire a te grazie.
>Proteggo te, ricorda che IL LATTE DI CAPRA E IL
>SANGUE DI SERPENTE SOLO INSIEME FANNO MAGIA e
>fida te di quanto ci è nella zona a te per ora cieca.
>Buona Notte,
>Brian

Alla fine il giudice ha stabilito che Maia e il maestro di respirazione a fine anno dovranno andarsene dall'appartamento di Lorenzo. A quel punto l'appartamento verrà messo in vendita: da come si era messa la situazione, è andata decisamente bene.

Per quanto mi riguarda domani andrò a vedere un posto che a quanto c'è scritto sul giornale sembra fatto proprio per me. Ormai è un mese che visito come minimo tre case al giorno, ho imparato a leggere fra le righe degli annunci immobiliari.

Siamo davvero come il latte e il sangue del rituale che mi sono inventata e potrebbe essere tutto molto più facile fra noi, penso, mentre siamo in motorino, un sabato mattina. Andiamo a vedere una mostra di foto, ritratti, video e costumi dedicata a Leigh Bowery, un protagonista della Londra degli anni ottanta, morto di AIDS nell'ultima notte del novantatré. Ognuna delle stanze della mostra parla di una vita che ha avuto a che fare solo con la sperimentazione, il trasformismo, l'abbandono di qualsiasi distinzione capace di rassicurare. Una vita dove non c'erano confini nemmeno fra il corpo e la maschera, fra il maschile e il femminile. Ci fermiamo davanti a un ritratto che gli ha fatto Lucian Freud. Qui Bowery non ha addosso alcun travestimento. Dorme nudo, il corpo grasso e lucido, un enorme pisello a riposo fra le cosce.

– Che strano, di tutti i suoi costumi pazzeschi questo è quello che mi piace di più.

– Anche a me. È come la favola del re nudo, ma al contrario.

– Già.

– Forse bisognerebbe fare come lui. Cambiare segno a tutto, vivere le scelte come destini e i destini come scelte. È un po' quello che sostiene anche Brian.

– Come sta, il tuo amico sciamano?

– Lui bene, chi lo ammazza. Sono io che non funziono.

La mia disperazione si sveglia prima di me, apro gli occhi e la trovo lì, a darmi il buongiorno.

– Ma ieri quando sono andata a dormire e ti ho lasciato al computer, mi hai detto che finalmente si stava muovendo qualcosa.

– Infatti. Ma questo libro è davvero un casino.

– Sarà il tuo capolavoro.

– Non credo proprio. La Parigi di quegli anni che voglio raccontare io è inafferrabile proprio quanto la Londra di Bowery. E io non sono uno come lui, così realmente capace di mettersi a servizio del disastro che deve interpretare. Più cerco nuove formule d'espressione, più mi sforzo per non ricalcare le orme dei libri che ho scritto finora, più la scrittura sul più bello mi scivola via dalle mani come fosse sabbia.

– Fidati dei granellini che ti rimangono appiccicati.

– La fai facile, tu. Ma non voglio stare qui a lamentarmi. Sai, Lilo, d'altronde essere tristi o essere felici è come dire oggi piove, oggi c'è il sole. Anche questa me l'ha detta Brian. Insomma, non è colpa di nessuno e non è una tragedia, se da stamattina sono di pessimo umore.

– Mi piace sentirti parlare così. Soprattutto oggi, che ho una proposta da farti. Domani devo vedere un appartamento a Colle Oppio. Vieni anche tu, dai. Finora non ho mai insistito, ma questo potrebbe essere quello giusto. Ho visto anche delle foto su Internet. È grande, pieno di luce, e in un quartiere che mi piace moltissimo.

– Vai a vederlo tu e poi se ti piace davvero vengo a vederlo anch'io.

– Va bene.

– Ma giusto per darti qualche consiglio. Mica se lo vedo poi ti metti in testa strane idee, vero?

– Adesso no, Lorenzo. Ti prego.

– No, era tanto per sapere. Perché...

– Basta così.
– Perché altrimenti ti fai illusioni e poi...
– Ho detto basta. Per favore.
– E poi ci rimani male se il povero Stitch vorrà una casetta tutta sua per essere lasciato in pace e farsi i cazzi suoi.
– Sei una persona disgustosa. Non meriti niente. Non meriti di scrivere un nuovo libro, non meriti il successo che hai, non meriti le mie attenzioni e non meriti nemmeno quelle del tuo amato stregone di Pomaia.
– Siamo in un luogo pubblico, per favore Lilo, – mi sibila.
– Potevi pensarci quando hai cominciato a fare lo stronzo, – alzo apposta la voce io.
– Vado in campagna.
– Ecco, bravo.
Vorrei tanto essere meno triste per farla felice.
E se mentisse anche a Brian?
Leigh Bowery davanti a noi continua a dormire.

Avevo ragione.
Uno lo sente quando un posto potrebbe diventare casa sua. E quel posto per me è questo.
Alla fine mi ha accompagnato Toni a vederlo. È un appartamento al terzo piano, molto luminoso, con una vista incredibile sul Colosseo. È quasi completamente ristrutturato, bisognerà fare solo qualche lavoro di tinteggiatura.
– È per due persone, ma ce ne possono abitare benissimo anche tre, – dice l'agente immobiliare. Che poi guarda me e Toni con aria maliziosa.
– Dipende da voi, piccioncini.

------------------------- Original Message -----------------------

>From: lorenzoferri@yahoo.it
>To: brianahern@hotmail.com
>Sent: Saturday, March 25, 2006 9:18 PM
>Subject: R: IL LATTE E IL SANGUE

>Caro Brian,
>sei stato davvero un amico prezioso per me ma non
>merito oltre la tua fiducia e le tue parole. Io sono e
>rimarrò sempre una persona cattiva e sporca, capace
>solo di strisciare come un verme da un giorno
>all'altro, di non prendere mai decisioni e di fare male
>alle persone a cui voglio bene, in faccia e dietro le
>spalle. Non ho valori, non sono forte come lo sei stato
>tu. La verità della mia storia con Lidia è che quando
>l'ho incontrata per la prima volta era completamente
>fuori di testa, non mangiava quasi niente, controllava
>tutto quello che facevo, aveva paura anche della sua
>ombra, insomma, stare con uno marcio come me le
>poteva bastare. Adesso invece sta meglio e si è messa
>in testa di poter essere felice. Ma se lei non è più solo
>una pazza io non posso essere più solo uno stronzo, e
>invece non so fare altro. Insomma, non posso essere
>all'altezza di una guarigione. Ti ringrazio per tutto,
>ma d'ora in poi è meglio che tu ti prenda cura di
>persone degne di venire protette dalla tua luminosità.
>Con me ti aspettano solo profonde delusioni, non
>voglio farti perdere tempo.
>Un abbraccio e ancora grazie di tutto.
>Tuo,
>Lorenzo

Sai farmi ridere come non sa fare nessuno e come non sa fare nessuno spiegarmi quello che non so, scegliere sempre di guardare un DVD che va bene anche a me, non dire mai qualcosa che ho già sentito da qualche parte, non farmi vedere mai qualcosa che ho già visto, fare qualcosa che ho fatto, sai perdonare, sai che Efexor è l'unico cane che di notte non dorme e non ti arrabbi quando ti sale addosso e ti sveglia, sai che cosa significa avere la testa invasa da voci e fare sempre la fatica di sceglierne una, sai che quella sbagliata è proprio quella che dice le cose più sensate, sai consolarmi di tutto quello che non mi piace, sai piacermi tu.

Non è vero che sai fare solo lo stronzo.

Come al solito vorrei trovare le parole giuste e il modo per dirle a lui. Per fargli sapere che anch'io credevo di cominciare e finire nelle mie ossessioni, e ora che mi stanno abbandonando ogni mattina appena apro gli occhi mi mancano da morire e m'assale il dubbio che con loro mi stia abbandonando tutto quello che avevo da dire e da dare e che senza di loro io non sarò più nessuno, non sarò più niente, troppo poco per bastare a qualcuno, per bastare a me.

Perché certe malattie in effetti contraddicono qualcosa di inaccettabile. La banalità di quello che ci fa bene, la banalità di quello che ci fa male.

E quindi forse non bisogna essere all'altezza di guarigioni come le nostre. Bisogna abbassarsi al loro livello.

Gli telefono in campagna. Non risponde. Provo ancora. Niente. Ha il cellulare staccato.

Coraggio, Brian. Tocca a te. Mantieni la calma.

------------------------ Original Message -----------------------

>From: brianahern@hotmail.com
>To: lorenzoferri@yahoo.it
>Sent: Monday, March 27, 2006 7:14 PM
>Subject: IL MAXIMO COMPROMEXO

>Caro Lorenzo,
>mio fratello, le parole tue non stupirono me.
>La pratica sciamana che io studio ormai
>con tantissimo tempo è antica e è tutta sulla base della
>persona e della sua structura più misteriousa che da
>sotto la structura organizata del pensiero chiama e
>vendica se, non di VALORI che poi alla fine NON
>ESISTONO, sono fructi anche loro di grande paura,
>tanto i valori che chiamano buoni quanto i valori che
>chiamano cativi. Questo devi sapere. Riguardo il
>resto non volio comentare la tua ultima lettera perché
>è stata scrita dal PENSIERO IMOBILE, non da te. E al
>PENSIERO IMOBILE io non rispondo. Sai tuttavia che io
>dopo che leggo te non solo non lascio te, ma volio
>ancora più bene.
>Forze mentre leggi me pensi che scrivo queste cose a
>modello del vecchio che dice bugie. Non è facile per
>me esprimere questo che vedo, perdona me. Ma
>davero nella vita ho conosciuto troppe cose affinché
>divento uno che abbandona se solo per dire a una
>persona come la tua fai il bene e non fai il male! IO
>NON DIRÒ MAI A TE FAI IL BENE PER IL BENE, MA
>invece dico FAI QUESTA COSA QUI PER TE, riguardo
>quello che vedo abbandonato su te, SOLO SU TE.
>Anche Lidia infacti non è solo luce, come tu pensi,
>non è solo bene, ma è bene per te e tu che dici di
>essere cativo sei invece bene per lei, lo giuro, se BENE

>significa IL MAXIMO COMPROMEXO, come si dice, che
>persone come noi soportano FRA IL DOLORE della
>natura che sentono e portano su loro, E LA VOLIA NON
>RAZLONALE comunque di dire io e di fare cose. Spero
>che ho spiegato.
>Posso fare una domanda, poi, se non dispiace a te?
>Scrivi un libro ora? Per me, io vedo, dalla mappa tua
>che spedirò, che FRA DUE ANNI esatti da ora ci sarà IL
>LIBRO TUO MELIO SCRITTO, più fondamentale per te e
>per noi che leggiamo. Lo vedo come scritto in una
>lingua diversa, come francese, non so spiegare
>benissimo ancora. Ma non volio per niente
>influenzare, anche perché come lettore non solo
>come amico aspetto te con la ansia!
>Proteggo te come sempre, più che sempre, da quella
>zona a te ancora cieca dove però un futuro di luce per
>te ci è, certamente.
>Tuo,
>Brian

...io ho provato a spiegare al mio ragazzo che una cosa è avere un vizio, un'altra sarebbe fare una trasgressione. In certi locali che a lui non piacciono io ci vado solo per vizio, capisci Lidia? Non c'è niente da temere, non deve essere geloso. Proprio perché ci vado tutti i venerdì, ormai da cinque anni, vuol dire che non potrà mai succedere qualcosa che rovini il rapporto che ho con lui. Solo una trasgressione può mettere in crisi due persone che si vogliono bene. Per questo è più grave. Se lui che è tanto preciso un giorno fa una mattata allora sì che ci sarà da preoccuparsi. Ma nel mio caso non c'è niente da temere. Il vizio è una caratteristica personale. Ti puoi pure sposare e quello rimane. Mica riguarda la persona con cui stai o quanto la ami. Riguarda te e basta. Ma questo al mio ragazzo mica gli entra in testa.

Eurostar. Chiacchiere e Tavernello. Due anni fa, più o meno. Ti avevo promesso che quando passavo da Roma mi sarei fatto vivo. Ecco. Riccardo.

Quando stamattina ho ricevuto sul telefonino questo messaggio, non ho avuto nessuna esitazione nel ricordarmi del ragazzo con cui avevo viaggiato insieme da Bologna a Milano nei mesi senza Lorenzo.

Ogni tanto, ma se glielo dirò non ci crederà mai, dopo averlo incontrato mi ero ritrovata perfino a pensare a lui. Non come ho sempre pensato a Lorenzo, ma proprio per darmi una possibilità di pensare che non esistesse solo Lorenzo a cui pensare.

E poi Lorenzo è tornato.

Comunque, a modo suo, senza nemmeno saperlo Riccardo (ero quasi certa si chiamasse Roberto) mi ha fatto un po' di compagnia quando ne avevo bisogno.

È per un misto di gratitudine e simpatia istintiva che appena ho ricevuto il suo messaggio gli ho telefonato. Mi ha detto che è a Roma e ci resterà fino a giugno per lavorare con un gruppo di ricercatori della Sapienza a cui è stato affiliato per poi partire per la Tasmania, se ho capito bene. Mi spiegherà meglio stasera.

– Perché stasera ceniamo insieme, vero? – mi ha chiesto,

con una naturalezza tale da non lasciarmi nessun motivo valido per rifiutare. Tanto più che è sabato, stanotte non lavoro e rischierei di passare la serata chiusa in casa a guardare il soffitto o la televisione. Non vedo Lorenzo da più di una settimana. Pare che finalmente abbia ricominciato a lavorare seriamente sul suo libro e finché gli è possibile vuole rimanere da solo in campagna per concentrarsi. Come al solito quando è lontano rende tutto ancora più difficile del solito.

– Sono io, – gli ho telefonato poco fa, prima di uscire.

– Che c'è? – mi ha risposto lui.

– In che senso che c'è?

– Se qualcuno chiama qualcun altro è perché ha qualcosa da dirgli, no? È per questo che hanno inventato i mezzi di comunicazione.

Ho riattaccato e ho cominciato a prendere a colpi il telefono con la cornetta. I tasti dell'uno e del sette sono saltati via. Efexor dalla paura ha cominciato a guaire. Per non ascoltarlo ho cominciato a piangere più forte di lui.

Fatto sta che non ho il migliore degli aspetti e lo so, mentre raggiungo Riccardo all'entrata della Facoltà di Biologia dell'università, dove abbiamo appuntamento.

Ho gli occhi gonfi, ho addosso la stessa felpa che di solito uso per stare a casa e non mi sono nemmeno lavata i capelli.

Lo trovo già lì che mi aspetta. È più alto di come me lo ricordavo. Un filo di barba gli dà un'aria vagamente matura. Mi domando se quando l'ho incontrato sul treno mi fossi davvero accorta di quanto sia evidentemente bello. Un po' mi vergogno, soprattutto per i capelli sporchi.

Camminiamo su e giù per il quartiere universitario. Mi chiede se mi sia sembrato strano ricevere un invito da un tipo con cui ho passato solo un paio d'ore per caso, più di un anno fa. Gli rispondo che sì, in effetti mi è sembrato strano. Mi spiega che è arrivato a Roma da qualche settimana, ma i primi giorni era talmente entusiasta del progetto a cui è stato chiamato a collaborare, da non rendersi conto nemmeno di essersi trasferito in una città in cui non conosce nessuno.

– Finché una sera mi sono ritrovato solo, nella stanza della foresteria del CNR che divido con un mio collega giapponese, che da quando è arrivato in Italia ogni fine settimana ne approfitta per andare a visitare una città d'arte. Stavolta è andato a Venezia. E io mi sono accorto di essere a Roma da settimane e non aver ancora fatto una passeggiata in centro. A quel punto mi sei venuta in mente tu.

Dice che gli era capitato spesso di pensare a quella ragazza distratta e confusa (proprio così dice) che però era riuscita a batterlo a Nomi Città Cose Animali. Dice che più volte si era ripromesso di chiamarmi.

– Ma poi, per essere onesto, mi dimenticavo sempre di farlo. O forse cercavo l'occasione giusta.

– Mi sembra più credibile la prima ipotesi.

– Francamente anche a me.

Ci viene da ridere.

– Comunque per fortuna non ho mai cancellato il tuo numero dalla rubrica del mio telefonino.

Ci allontaniamo dal quartiere universitario e continuiamo a camminare. Io gli parlo del mio programma, della casa che ho comprato e dove presto andrò a vivere e per non annoiarlo, almeno così credo, faccio solo un rapido accenno a una mia storia d'amore in corso piuttosto complicata. Lui mi parla del progetto in Tasmania, di come gli fosse diventato insopportabile lavorare chiuso in un laboratorio di Milano e di come adesso sia disposto a restare dall'altra parte del mondo anche per sempre. Parla della barriera corallina che andrà a esplorare con una specie di eccitazione fisica, come se fosse una donna di cui tutti decantano il fascino e che finalmente presto potrà conoscere personalmente anche lui. Dice che non vede l'ora di partire. Che a Milano non ha lasciato niente, se non due ragazze che ultimamente avevano scoperto ognuna l'esistenza dell'altra e nello stesso giorno gli avevano raccomandato di non farsi più vedere.

Senza rendercene conto siamo arrivati fino in centro. Chissà dov'è finita la rabbia che avevo per quel mozzicone di telefonata con Lorenzo.

Andiamo a mangiare in una trattoria del Ghetto.

– Finalmente possiamo ubriacarci come si deve, – dico io.

– È vero, – dice lui, – anche se a me il Tavernello era sembrato perfino buono, quel giorno.

– Non è possibile. – Toni mi guarda stupefatto e come al solito si esprime con un'enfasi eccessiva. Il più delle volte è tutta una commedia e in realtà sono poche le cose capaci realmente di stupirlo. Questa però sembra proprio una di quelle.

– E invece è successo.

– Ma non puoi raccontarmi di aver passato una notte di sesso selvaggio con uno sconosciuto e pensare che il discorso finisca lì.

– Non ho detto selvaggio. Ho detto che è stato bello.

– I dettagli. Voglio tutti i dettagli.

– Non ce ne sono molti. Eravamo piuttosto ubriachi quando mi ha portato a vedere il residence dove abita. Ha cominciato a baciarmi in ascensore. E quando siamo entrati nella sua stanza ci eravamo già tolti quasi tutti i vestiti.

– E?

– E cosa?

– Come si è comportato?

– Toni, ma che ne so. L'unica certezza che ho è che non lo rivedrò mai più, l'ho detto anche a lui. Per il resto ancora non ci capisco niente, sono uscita da quella stanza nemmeno un'ora fa e sono venuta direttamente da te.

– Che cosa? Ma sono le tre di pomeriggio. Sei rimasta con lui tutto questo tempo? Da ieri notte?

– Sì. Ci siamo addormentati che erano le dieci di mattina. O meglio, si è addormentato lui. Io non sono riuscita a chiudere occhio. Insomma, sono due anni che per me fare l'amore significa solo fare l'amore con Lorenzo. E farlo in un certo modo. Lo sai cosa voglio dire.

– No.

– Riccardo ha passato la notte a baciarmi da tutte le parti, mi carezzava, mi guardava, sembrava avere come un'ansia di conoscere il mio corpo senza che gli dovesse sfuggire niente.

– Di uomini così non ce ne sono più molti, in circolazione.

– Sì, è vero. – M'incanto per un attimo. – Che strano, però.

– Cosa?

– Che con Lorenzo il sesso mi è sempre sembrato straordinario perfino quando all'improvviso lui si assenta e io faccio tutto da sola.

– Ma che c'entra. Lorenzo è Lorenzo.

– Che vuoi dire?

– Lidia, non immagini quanto sia felice per quello che ti è successo. Se Dio esiste, per quanto mi riguarda e per il bene che ti voglio, stanotte si è chiamato Riccardo. – Conosco Toni: dopo un'uscita come questa adesso si farà serio e mi darà un consiglio. E anche se non lo seguirò, so che comunque si rivelerà prima o poi quello giusto.

– Insomma, avevi davvero bisogno che qualcuno ti ricordasse quanto è facile desiderarti. Adesso cerca di trasferire quello che hai imparato stanotte nel tuo rapporto con Lorenzo. Lo sappiamo tutti e due che deve servire a questo, Mister Tasmania.

– Ah, sì?

– Sì. Io forse ti sono sempre sembrato il più grande nemico della tua storia con Lorenzo. Non è così. Certo, a volte ho tentato di proteggerti dall'ostinazione della passione che hai per lui. Ma in fondo ti ho sempre invidiato.

– Non ci credo.
– E invece sì. Io non sono per niente come te. Penso sempre che agli altri ci si possa al massimo prestare, e che sia giusto darsi solo a se stessi.
– E infatti sei una persona forte.
– Che con la sua forza non sa che cazzo farci, però.
Sappiamo tutti e due che adesso è il momento di cambiare discorso. È il nostro patto implicito, da sempre, quello di distrarci un istante prima di commuoverci.
– Dove vai a Pasqua?
– Io e Efexor raggiungiamo Lorenzo in campagna. Tu?
– Vado a Grosseto a conoscere un tizio che ho incontrato su MySpace.
– A Grosseto?
– Sì.
– Me lo faresti un piacere, quando sei lì?
– Certo.
– Dovresti imbucarmi una lettera.

------------------------- Original Message ------------------------

>From: lorenzoferri@yahoo.it
>To: brianahern@hotmail.com
>Sent: Friday, April 14, 2006 7:11 PM
>Subject: USELESS MAN

>Caro Brian,
>sei davvero l'amico più caro che ho mai avuto. Ero
>certo che non mi avresti mai più risposto, dopo la mia
>ultima lettera: hai ragione, non sono stato io a
>scriverla, ma la paura che mi assilla di continuo di
>poter deludere gli altri. Cosa che in effetti succede
>quasi sempre. Ma il dono della tua protezione è troppo
>grande, e magari invece di rifiutarlo perché non lo
>merito potrei cercare di fare qualcosa per meritarmelo,
>come dici tu. E fare lo stesso anche con Lidia, che
>domani mi raggiungerà, dopo tanti giorni che non ci
>vediamo. Non voglio accoglierla come al solito,
>dicendole cose orribili perché non capisca che sono
>felice di vederla e s'illuda così che io possa diventare
>una persona migliore. Voglio essere buono con lei. In
>questi giorni da solo in campagna, grazie alle tue

>parole, ho cominciato infatti a capire tante cose
>riguardo a come vivere e, dopo la tua ultima lettera,
>perfino a come scrivere.
>Di solito infatti, mi hai lasciato stupito e letteralmente
>a bocca aperta anche per quello che dici sul mio
>nuovo libro. In verità non è che lo sto scrivendo
>in francese, ma riguarda molto la lingua francese, non
>immagini quanto. Si dovrebbe intitolare "IL CANTO
>DELLE SIRENE", ed è in buona parte una biografia di un
>mio grande amico che ho conosciuto a Parigi e mi ha
>insegnato tante cose, soprattutto su un certo
>tipo di vita. Si chiamava Louis, faceva lo scultore e mi
>manca molto. È morto suicidandosi il giorno in cui
>avrebbe compiuto cinquant'anni, andandosi a buttare
>proprio dalla palazzina dove era nato. Era più grande
>di me, un vecchio figlio di puttana simpaticissimo
>e certe volte davvero insopportabile, ci siamo fatti un
>sacco di risate insieme. Mi diceva sempre che fino a
>quando aveva quarant'anni aveva vissuto come in
>uno stato di estasi continua, ma che poi tutto dentro e
>fuori di lui era cambiato, era diventato all'improvviso
>più triste, ordinario. Un po' lo stesso che sta
>succedendo oggi a me. E infatti nel mio libro voglio
>mescolare il fantasma del mio amico con il
>turbamento che mi assale in questo periodo,
>e con certi miei ricordi personali di Parigi dove
>guardandomi indietro vedo le cause di tutte le cose
>belle e quelle brutte che sono andate a comporsi
>per formare la mia vita fino a questo momento.
>Lo sai bene anche tu, caro Brian, perché la musica
>è uguale: scrivere è davvero una cosa faticosissima,
>alla fine la vita è consumata da questo, io mi ci
>accanisco tutti i giorni, non mollo mai. Ma non
>ti voglio trattenere troppo sui miei fumosi progetti

>letterari, anche perché proprio grazie a te dopo un
>lungo periodo finalmente sono tornato al lavoro e
>questo mi basta. Mentre ti scrivo sto ascoltando
>un pezzo divertente dei Minty, il gruppo di Leigh
>Bowery, un genio assoluto che non conoscevo prima
>di qualche giorno fa, quando io e Lidia siamo andati a
>vedere una mostra dedicata a lui. Il pezzo mi fa molto
>ridere, si chiama USELESS MAN e non fa che ripetere
>per tutto il tempo queste due parole. UOMO INUTILE:
>come me. Ma adesso, caro Brian, perché non mi
>racconti anche tu qualcosa? Leggere le tue lettere mi
>ha fatto venire una grande curiosità sulla tua vita.
>Spero che tu stia passando giorni sereni, davvero.
>Non potrò mai ricambiare tutto quello che stai facendo
>per me se non con un affetto infinito.
>Tuo,
>Lorenzo

------------------------ Original Message ------------------------

>From: brianahern@hotmail.com
>To: lorenzoferri@yahoo.it
>Sent: Friday, April 14, 2006 9:37 PM
>Subject: LA MERDA

>Lorenzo caro,
>mio fratelo, la Pasqua sembra a me da sempre una festa
>anche se cattolica più umana rispetto a il Natale, non
>so perfettamente perché, e quindi non ho vergogna
>nel dare a te una BUONA PASQUA per domani, insieme a
>tutti i suoi significati di rinascere.
>Io sono tornato ieri al Monastero dalla città di
>GROSSETO, che è molto vicino a Pomaia. Proprio lì

>infacti abita la sorella di Enrico, che è in Italia la mia
>familia e lì finalmente spedivo a te la MAPPA.
>Ho passato del bel tempo lì con lei, suo marito, e il loro
>filio che è proprio uguale a Enrico e commuove me
>guardare.
>Tu chiedi a me di raccontare la VITA MIA e io penso che
>è giusto tu sai tante cose. Parli a me di LEIGH, che io per
>exempio davero conoscevo come un fratelo e mai
>dimentico come la festa per il Nuovo Anno nel 1994
>diventava un incubo per tutti noi che a lui volevamo
>bene, quando venivamo a sapere la notizia tremenda
>della morte sua.
>Parlo di questa mia amicizia con Leigh per spiegare
>che la mia vita è stata davero anche lei di un vecchio
>pazzo, come dici tu riguardo il protagonista del libro
>che scrivi (e che infacti vedo così bene come nuovo
>capolavoro), ma no tanto simpatico come lui. Non
>bastava mai a me niente. No il facto che ero povero e
>poi davero ricco, no tutti li uomini che avevo, no il
>grande successo, niente, niente. E moltissima droga,
>amica cara al PENSIERO IMOBILE. Non so se tu conosci
>lei, dalle visioni su te non vedo chiaro su questo punto.
>Comunque se non conosci spiego a te che la droga ha
>questo sopratuto, che tu credi di vedere melio le cose
>e infacti se la prendi poco è così. Ma se alla fine invece
>la prendi sempre, vedi solo la stessa cosa e il mondo
>diventa molto di meno, no più grande, anche se a te
>sembra di sapere sempre più rispetto ali altri: e infacti
>quando conoscevo Enrico inizialmente non capivo lui,
>con la arroganza di chi pensa che ha visto tutto
>completamente. Quando incontravo ENRICO per la
>PRIMA VOLTA ero in una prigione a Londra, dove
>avevano chiuso me dopo che era successo un facto
>troppo bruto da raccontare. Io ero ancora davero

>famoso e Enrico veniva a intervistare me perché
>corrispondeva dalla Inghilterra per una rivista italiana
>sula musica. Lui sembrava a me un semplice giovane
>(12 li anni meno rispetto a me) senza esperienza e
>invece per un certo verso aveva questa più rispetto a
>me. E infacti riconosceva me mentre io lui no. Ma ogni
>volta che lasciavo lui poi tornavo sempre perché da
>qualche parte, in qualche nervo, nella zona a me allora
>cieca per lappunto, io ero svelio e mi accorgevo, anche
>se no fino alla testa.
>Per quanto riguarda i texti sciamani, avevo cominciato
>a studiare proprio nella prigione. Infacti quando poi
>tornavo libero, Enrico diceva a me da subito di partire
>affinché conoscere i grandi maestri e un giorno
>abbiamo fatto finalmente questo lungo viaggio nel
>Tibet insieme. Il successo lasciato non mancava a me
>mai, ma il pensiero imobile tornava sempre, con le
>seductioni di altre esperienze diverse da quella che
>avevo con Enrico, e dentro me ci era la lotta. Tutti i
>giorni dicevo a me FORZA. Dicevo a me: – Brian, ormai
>conosci te atraverso la esperienza, adesso devi
>conoscere la esperienza atraverso te, altrimenti muori
>da vecchio colione! – Quello, più o meno. Così niente
>rimpianti ma possibilità di futuro nel tempo stesso.
>In Italia con Enrico venivo e passavo tanti anni bene,
>infelice come sono io nella natura, ma capace permeno
>di non distrugere, spesso sentendo me perfino leggero,
>più andavo avanti con la meditazione: chi come me
>sente da sempre tutto sopra sé, prima solitamente
>prova a liberare se da questa condictione con la
>evasione, la droga o altro, poi se è fortunato dice a se
>vediamo di fare QUALCOSA DI BUONO proprio CON
>QUESTA DANNACTIONE che ho! A servizio deli altri, la
>mia mente pesava meno a me e diventava come una

>pancia dove, perdona me, LA MERDA prima PREPARA SE
>ma poi BUTTA fuori SE in qualche maniera! Il resto lo
>sai. Della morte tropo giovane di Enrico e della scelta
>mia di venire a Pomaia, dove è il posto per me, ma
>ogni tanto sento solo perché non trovo me bene con i
>monaci buddisti, troppo seri e arancioni per i gusti
>miei. Ma fortuna che adesso ho le lettere tue come
>compagnia!
>Spero che non ho stancato te. Ma tu chiedevi e io da
>amico rispondevo.
>Ricorda te fratello mio, niente paura e fede nela zona
>cieca. Sei davero forte nel profondo, non dico per dire.
>E quando abandono me vedo sempre te e Lidia
>trecciati.
>Abbraccio caramente tutti e due.
>Brian

Prima di partire, ieri Toni è venuto a casa mia a ritirare la lettera che gli ho chiesto di spedirmi da Grosseto. Non ha capito bene perché gli abbia chiesto di scrivere sulla busta con la sua calligrafia l'indirizzo di Lorenzo, ma aveva fretta e non ha fatto troppe domande. Nemmeno quando ha visto quello che ho infilato nella busta. Un foglio stropicciato dove con l'aiuto del tappo del barattolo del caffè ho disegnato un cerchio che poi ho sezionato a caso, con dei pennarelli colorati.

– È una specie di gioco fra me e Lorenzo, – gli ho spiegato io. A lui, eccitato dall'idea del suo appuntamento al buio con il tipo conosciuto su Internet, non è servito sapere nient'altro. E ignaro di tutto ha spedito da Grosseto la mappa di Brian.

Aggiungere a quello scarabocchio delle informazioni per poterlo interpretare mi è sembrato troppo. Se sarà il caso, e gli verrà richiesto, Brian le scriverà via mail. Ma confido nel fascino irrazionale che i segni esercitano su Lorenzo. Davanti a un quadro, a lui parlano sempre le immagini e gli spunti che possono dargli, non un catalogo che spieghi il significato di quel quadro e il perché della scelta di determinati colori. È abituato a fare così. Più è lasciato da solo con un groviglio di segni, più si sente ispirato per ricavarne dei simboli.

Consegnata la mappa e finita la puntata del venerdì, finalmente posso partire anch'io.

Ormai sono due settimane che Lorenzo rimane in campagna. Il suo libro procede e si sta avviando alla conclusione.

– È come se in tutti questi mesi in cui mi maceravo per non riuscirlo a scrivere, in realtà mi si stesse scrivendo dentro da solo. E adesso vado come un treno, quasi lo stessi semplicemente battendo al computer mentre qualcuno me lo detta, – dice. E negli ultimi giorni anche con me è piuttosto affettuoso.

– Finisci di lavorare in radio e poi vieni qui, dai. Faremo delle passeggiate bellissime, ti cucino quello che vuoi e il giorno di Pasqua magari invitiamo Fabrizio con i bambini e mangiamo sul prato.

Efexor mi si è arrampicato in braccio per guardare fuori dal finestrino, sul treno che ci porta a San Liberato.

Sarà la prima volta che vedo Lorenzo dopo averlo tradito. Toni si è raccomandato di non dirgli niente, per nessun motivo al mondo. Sembra scontato ma non è così: molte donne in passato, esasperate forse quanto me dai comportamenti di Lorenzo, sono arrivate a tradirlo solo per farglielo sapere, per dimostrargli di esserne capaci anche loro. Ma è quello che le provocazioni di Lorenzo desideravano, che desiderano. Trascinare l'altro in una specie di terra di nessuno sentimentale in cui gli errori di uno diano l'autorizzazione a procedere a quelli dell'altro e così via. Ma io non ho un fisico emotivo così forte. Non so se l'ho tradito per dimostrarmi di poterlo fare, ma non credo. E soprattutto per questo, farglielo sapere non avrebbe senso. Perché la notte con Riccardo diventerebbe l'ennesima mossa fatta per Lorenzo, anche se contro di lui. E invece, dopo anni, è stata la prima mossa che ho fatto per me. Perché il vino era buono, perché Riccardo era bello, perché gli sembravo bella io, anche se quella sera non mi ci sentivo affatto. Tutto qui. Adesso devo solo infilare il segreto di quello che è successo fra le pieghe di quello che mi succede tutti i giorni, che succederà. Ho tutte le possibilità per riuscirci. Tradire una persona presa da sé come Lorenzo dovrebbe essere semplice. Ho paura che colga qualcosa in un mio sguardo o in una mia battuta, ma so bene che non succederà. Per quanto riguarda Riccardo, poi, non penso gli costi molta fatica non cercarmi più come gli ho chiesto di fare. Non ha priorità di carattere romantico, lui. Mi sembra capace di accogliere quello che capita o di rinunciarci senza grandi difficoltà.

E allora il problema rimango solo io. E mentre il treno sta per imboccare la galleria prima della stazione di Terni mi impongo di togliermi dalla testa l'immagine che mi tormenta da giorni. Riccardo che esplora e tocca e bacia punti del mio corpo che in realtà non sono miei, sono di Lorenzo, perché li ha scoperti lui, due anni fa. Anche se ogni tanto li trascura nessuno può permettersi di invaderli. E fra l'altro di saperlo fare. L'immagine a questo punto si deforma, Lorenzo e Riccardo scompaiono, e il mio corpo diventa un campo di battaglia per uno scontro fra il piacere che si dà e quello che si prende, fra la passione e il gioco, fra quello che ognuno dovrebbe meritarsi e quello che sceglie. Tutte cose che dovrebbero essere assolutamente conciliabili fra loro. E che invece dentro di me si dichiarano guerra. Si eliminano a vicenda.

Siamo arrivati a Terni. Lorenzo ci viene incontro sul binario, Efexor dalla felicità di vederlo gli schizza una pipì sulle scarpe. Io mi avvicino guardinga. Nonostante i buoni propositi di cui ha parlato a Brian nell'ultima lettera, so bene quanto sia difficile per lui rinunciare alle sue difese, quando ha avuto molti giorni a disposizione per rafforzarle senza la mia presenza. Ma comincio a pensare che lo stesso valga anche per me. E allora stavolta voglio stare attenta. È troppo tempo che non ci vediamo. Sono successe tante cose. È successo Riccardo. Gli sorrido.

– Finalmente, Stitch.

– Finalmente, Lilo.

Ci baciamo come in pubblico di solito a lui non piace fare mai.

Non lo vedevo da così tanti giorni che quasi davo per scontato l'effetto che hanno su di me il suo odore, quegli occhi afflitti e dolcissimi, il sorriso maleducato. Tutte le immagini che mi litigavano in testa si spengono all'istante. C'è spazio solo per lui.

– In macchina ti aspetta una sorpresa. Anzi, vi aspetta. E non so Efexor come la prenderà.

Ci avviamo verso il parcheggio della stazione e dal finestrino della macchina di Lorenzo vedo spuntare una macchia scura che si muove. Apro la portiera e un cane sporchissimo, dai colori incomprensibili tanto è il fango che gli si è appiccicato addosso, con un'orecchia sola, la coda spelacchiata e mozzata da quello che sembra il morso di un cane più grande o di un cavallo, mi fa festa in una maniera straziante, come fossi la sua padrona che non vede da chissà quanto tempo. È pieno di pulci e puzza da sentirsi male. A Efexor però sembra simpatico. Si annusano e cominciano a rincorrersi per il parcheggio.

– Chi è?

– Non te lo ricordi?

Gli faccio un fischio, torna subito da me, cosa che Efexor non imparerà a fare mai. Lo guardo negli occhi e comincio a riconoscerlo, anche se non ha più niente di quel cucciolo rosso con una gonna pantalone di pelo bianco al posto delle zampe.

– È quel cagnolino che avevamo dovuto riportare ai suoi padroni! Quello che io volevo tenere a tutti i costi.

– L'ho trovato ieri, accucciato davanti alla porta di casa. Era come se aspettasse qualcuno.

– Noi? Dopo tutto questo tempo?

– Magari è capitato lì per caso. Ma eri tu a dire che era stato lui, quel giorno, a decidere di seguirci.

– Come ha fatto a ridursi così?

– Tu dicevi anche che i suoi padroni non l'avrebbero mai trattato bene come l'avremmo potuto trattare noi.

– È vero. E allora tu avevi risposto che portarcelo a Roma sarebbe stato un furto. E che io non avevo nessun diritto di decidere quale fosse il destino migliore per Bobby. Si chiama così mi pare, no?

– Non mi ricordo. So che da ieri si chiama Brian. E che se Efexor è d'accordo, potrebbe venire a stare con noi.

– Davvero?

– Compriamo subito del disinfettante, dai. Altrimenti la coda gli va in cancrena.

La casa di campagna è ridotta uno schifo. In due settimane Lorenzo non ha mai aperto le imposte, ha lasciato che i sacchetti dell'immondizia si accumulassero in cucina, che l'erbaccia del prato crescesse indisturbata.

– È più forte di me, Lilo, porto il mio senso di morte da tutte le parti, lo so, – dice. E si butta sul divano, fra vestiti sparsi e giornali vecchi. – Io sono proprio un uomo inutile. – Sospira, e si stringe le tempie con le mani, come per non farsi sfuggire la testa, e comincia a piangere.

– Come comitato d'accoglienza non è male, – provo a scherzare io. Ma in realtà questo crollo di Lorenzo mi prende alla sprovvista. Fino a un attimo fa, in macchina, con i due cani sui sedili di dietro, mi parlava del suo libro e mi carezzava i capelli e mi diceva certo che noi quattro adesso siamo proprio una famiglia al completo, non ti pare?

– Scusami.

– Non dicevo sul serio. E poi è sempre meglio essere accolta così che da una sconosciuta nel tuo letto, no?

– Perché io non so fare altro, è vero. Sono a fasi alterne stronzo o depresso. Ma che ci posso fare?

– Per esempio piangerti addosso un po' meno.

– Ma questo è il periodo più brutto della mia vita. Ho perso tutto.

Non è lui che parla, è il suo pensiero immobile. Non devo ascoltarlo.

– Passerà.

– Ero abituato a standard di felicità altissimi, io, fino a qualche anno fa. La conoscevo bene, capito? Conoscevo la felicità.

Non devo ascoltarlo, non devo ascoltarlo, non devo ascoltarlo.

– Sei fortunato. Vuol dire che quando tornerà la saprai riconoscere.

– Forse hai ragione.

– E poi datti tempo. Adesso stai giocandoci in un modo tutto nuovo, con 'sta cazzo di felicità. Hai smesso da poco con la roba, tanto per fare un esempio.

– Ma questo che c'entra? Non mi sono mai drogato tanto come ti ho fatto credere. Volevo darti un'immagine di me molto peggiore di quello che sono in realtà per non farti appiccicare.

– Fatica sprecata, – dico io. E gli sorrido. Dentro di me sento l'insolito sollievo di essermi tenuta al riparo in pochi minuti dalla possibilità di diversi attentati.

Facciamo lunghe passeggiate, leggiamo insieme il suo libro fin dove è arrivato a scriverlo, rimaniamo a guardare per ore i cigni nel lago, facciamo l'amore. Ogni tanto Lorenzo scivola via e raggiunge la sua postazione interiore da cui poter rovinare tutto, ma riusciamo a passare giornate intime e segrete, di cui avevamo bisogno tutti e due.

Io per dimenticare la notte con Riccardo, lui per ricordarsi di me.

Il giorno di Pasqua viene a trovarci il suo amico Fabrizio, con sua moglie e i loro tre bambini – uno figlio del primo matrimonio di lui, uno del primo matrimonio di lei e il più piccolo, di pochi mesi, avuto insieme. Ci sono poche persone capaci di far bene a Lorenzo come lui. Lo conosce dai tempi del liceo, sono cresciuti insieme. Riesce sempre a metterlo di buonumore. Perfino la serenità familiare che Fabrizio ha raggiunto gli sembra possibile. Dice che si fida di quell'equilibrio perché non ha bisogno di affermarsi come valore, a differenza di quello della maggior parte delle persone.

Pranziamo sul prato tutti insieme. I bambini giocano con i cani, noi mangiamo fino a sentirci male. C'è una specie di pace. Fabrizio insegna matematica in un liceo e ci racconta che quando la bella del quinto anno ha lasciato il fidanzato, quello per vendetta ha sfondato con un camion i cancelli della scuola. Cose così.

Lorenzo parla a tutti di Brian.

Continua a farlo anche quando rimaniamo soli.

– Sai che Brian era amico di quel genio di Leigh Bowery?

– Sai che Brian e il suo grande amore Enrico avevano esattamente la nostra stessa differenza d'età?

– Vieni qui, dai. Abbracciami. Stiamo un po' trecciati, come dice Brian.

Mentre torniamo a Roma, in macchina, sento che è uno di quei momenti magici in cui mi è possibile parlare e venire ascoltata.

– Sai, vorrei andare dalla mia ginecologa un giorno di questi. Mi sono messa in testa di essere sterile, – dico.

– Tu sei tutta pazza, – dice lui, ma senza aggressività.

– Ormai è davvero troppo tempo che non usiamo nessuna precauzione.

– E allora? Meglio così, no?

– Voglio sapere se c'è qualcosa che non va in me.

– Se questo ti fa stare più tranquilla allora fallo.

– Tanto so che cosa mi dirà la ginecologa. Le ho già chiesto mesi fa di poter fare quelle analisi.

– Non mi avevi detto niente.

– Perché lei mi ha impedito di farle. Dice che sono analisi invasive, a cui la donna si può sottoporre solo se prima è stato accertato che non è l'uomo a essere sterile.

– E allora niente da fare. Lilo, non mi vorrai costringere mica a fare quella roba lì, com'è che si chiama?

– Spermografia.

– Ecco. Mi ci vedi a me, a farmi una sega e a sparare quello che viene fuori in un contenitore e poi portare a farlo studiare a qualcuno? Che squallore. Chiedimi tutto ma questo no.

Mi prende la mano. Non mi sbagliavo, non ha nessuna voglia di litigare stasera.

– Davvero posso chiederti tutto?

– Sì.

– La settimana prossima firmerò il contratto per l'acquisto della casa. Mi piacerebbe ci fossi anche tu.

– Ci sarò. Se ci vengo a vivere dovrò pure vederlo, prima o poi, questo posto.

Rimaniamo per tutto il viaggio in un silenzio raro per noi, per niente ostile.

– Ti dispiace se prima di tornare a casa passiamo da Trastevere? – fa lui, quando arriviamo a Roma, – sono due settimane che non vado a ritirare la posta.

Lorenzo Ferri

------------------------- Original Message ------------------------

>From: lorenzoferri@yahoo.it
>To: brianahern@hotmail.com
>Sent: Thursday, April 20, 2006 12:46 AM
>Subject: GRAZIE

>Carissimo Brian,
>qualche giorno fa sono tornato a Roma e ho
>finalmente trovato la mappa che mi hai spedito
>GRAZIE
>GRAZIE
>GRAZIE.
>Tra l'altro, perdona l'estetismo, ma è davvero bella!
>Non la riesco a decodificare, ma sento che, come le
>tue parole, mi dice la verità e mi protegge. E questo
>già è un gran regalo.
>Come va la vita lì a Pomaia? Sai che Lidia e io
>abbiamo adottato un nuovo cane (ne avevamo già
>uno) e lo abbiamo chiamato come te? Lo avevamo già
>incontrato qualche anno fa, ma quando ero solo in
>campagna la settimana scorsa me lo sono trovato
>davanti proprio mentre stavo pensando a te. È

>spuntato dal nulla, come gli angeli musulmani, e
>allora, in tuo onore, abbiamo deciso di chiamarlo
>Brian. È veramente un cane speciale, e porta su di sé
>le ferite di tagli e morsi misteriosi che in qualche
>modo, non so bene perché, mi ricordano quelli che
>sento di avere dentro io, tanto che ho pensato che
>davvero quest'animaletto venisse da parte tua per
>portare qualche messaggio...
>Infatti questi sono di nuovo giorni difficili per me, di
>enorme dolore e senso di panico. Eppure in
>campagna con Lidia, il fine settimana di Pasqua, ero
>stato un po' meglio, e il merito è solo tuo: quello che
>mi hai scritto è vero, sto iniziando ad accettare che
>nella mia vita c'è l'amore e ho pensato molto a quello
>che mi hai scritto su te ed Enrico.
>Ma tu che sai tante cose, mi sai dire DOVE ANDIAMO
>quando stiamo così male? siamo rapiti in un altro
>mondo? Io ho passato tanti giorni della mia vita così,
>caro Brian, lontano da tutto e da tutti, e non saprei
>dire dove, né che cosa ho fatto. So solo che presto
>rimarrò solo e nessuno mi sopporterà più, ma non ci
>posso fare niente. Sono un fallito, lo so.
>Tantissimi baci, torno a studiare la mappa.
>Ti voglio bene,
>Lorenzo

Comincio a rendermi conto che il fatto che Lorenzo dia a Brian tutto il merito dei bei momenti che riesce a vivere, in parte continua a relegare me in quella condizione di impotenza che mi mortifica da sempre. Vocette, nomignoli, termini infantili: la misteriosa libertà espressiva dell'intimità, giustificata dal non avere niente di cui giustificarsi, lui non se l'è mai concessa con nessuno, tantomeno con me. Con Brian da subito.

L'importante è che Lorenzo possa stare meglio, lo so. Ma ci vorrei essere anch'io, quando questo succederà. Tutto qui, penso, mentre non riesco a dormire, mi rigiro nel letto e lo ascolto russare dal salotto. Non mi sono mai chiesta se l'idea di Brian fosse più o meno corretta. Adesso però mi chiedo se sia utile. Se serva davvero a qualcosa. Se i movimenti che crea siano reali o solo apparenti.

Chissà.

Comunque mi alzo. E accendo il computer.

------------------------- Original Message ------------------------

>From: brianahern@hotmail.com
>To: lorenzoferri@yahoo.it
>Sent: Tuesday, April 25, 2006 2:23 AM
>Subject: QUESTO CHE TU CHIAMI NERO

>Caro Lorenzo,
>mio fratelo, sono contento che la mappa è arrivata e
>piaciuta a te. Se in questi giorni sei riuscito a
>interpretare lei, spero che non turba te quello che lì è
>scritto riguardo al futuro. Puoi vedere la visione di un
>filio e di un grande successo, dopo la parte verde
>della mappa che sarebbe il presente. Se conosco te un
>poco oramai, forze spaventano te più queste cose
>belle rispetto alla possibilità di cose brutte! Ma
>niente paura! Come vedi infacti sempre nella mappa,
>a un certo punto del cerchio una linea spezata ci è:
>quella succede PROPIO ORA e vuol dire MORTE, che
>credo tu sai noi sciamani intendiamo come UN BENE,
>come interructione di un certo stato, mentale o altro,

>assolutamente no come morte fisica. Non tutti infacti
>iniziano quando nascono, anzi. Importante è tutavia
>fare questo nel prima o nel poi, altrimenti la fatica di
>essere qui davero non vale nella pena. Nella mia vita
>senza più grandi emozioni dopo che Enrico è andato,
>è una emozione conoscere te proprio in questo
>passaggio e per quello io dico grazie a te, non tu a me!
>Fai me poi molto felice quando scrivi che cominci per
>accettare l'amore nella vita tua e quando parli a me
>poi di cose simpatiche come il piccolo cane che tanto
>gentilmente tu e Lidia avete chiamato Brian. Dispiace
>invece quando scrivi del umore nero, ma so bene che
>questo che tu chiami NERO lo vedi così solo perché ha
>un colore che non è familiare e preso dalla paura
>chiudi li occhi della comprentione: e buio ci è. Non
>so se spiego me. Anche nella mappa, ripeto, si vede
>che sei alla fine di uno di quelli sentieri che capitano
>noi due o tre volte nella vita: sembravano a noi
>scorciatoie e scopriamo diventare la strada nostra
>principale!
>Al proposito chiedi a me dove andiamo quando
>stiamo male. La verità è che NON ANDIAMO da
>nessuna parte, anzi. Sono le forze del PENSIERO
>IMOBILE che invadono noi e paralisiano. Sembra a noi
>di andare via perché quando ci sono quelle forze
>spazio per noi non ci è e invece quando noi ci siamo
>non ci è spazio per loro. O noi o loro, senza scampo
>alcuno.
>Io proteggo te, dala zona cieca spio (ma con amore di
>fratelo, sai!) e non preoccupo me. Però quando dici
>che nessuno sopporta più te e niente ci puoi fare,
>dico a te attento. Non mettere nella bocca deli altri
>parole come FALLITO, che li altri non pensano ma che
>a te fanno comodo. IL MONDO NON È TUTTO UNA

>OPINIONE TUA, ESISTE! Anche fuori dalla tua testa!
>Senti te da me sempre protetto e non chiamare nero
>quello che tu non riconosci: quando il bruco pensa
>oddio è finita, ci è la farfalla. È questo un pochino da
>frocio da dire, ma i froci non sono tutta roba che
>bisogna buttare via, non credi questo anche tu?
>Abbraccio te e Lidia tua trecciati,
>Brian

Fra poco firmerò il contratto per l'acquisto definitivo della mia casa.

Ho appuntamento con Lorenzo alle quattro davanti al Colosseo.

Come al solito è in ritardo.

Stamattina, quando si è svegliato, mi è sembrato a modo suo felice di accompagnarmi. Ovviamente ci ha tenuto a specificare che non ha ancora preso nessuna decisione definitiva, ma l'idea di non essere sola in un giorno importante come questo basta a emozionarmi, e ho scelto di lasciarlo parlare.

Sto imparando lentamente a tenere a freno l'ansia che ho di definire il nostro rapporto e il nostro futuro e a prendere atto della sua incapacità di farlo. Tutto quello che è venuto finora non è stato mai stabilito prima di succedere. Non era nei piani. Magari sarà così anche per quanto riguarda la nostra vita insieme nel nuovo appartamento.

Le quattro e un quarto.

Mi telefona l'agente immobiliare per sapere dove sono. Mi dice che lui e i proprietari dell'appartamento mi stanno aspettando. Gli rispondo che sarò lì fra pochi minuti.

Telefono a Lorenzo. Il cellulare squilla a vuoto.

Le quattro e mezzo.

L'agente immobiliare mi telefona di nuovo, mi fa capire che i proprietari hanno una certa fretta.

Il cellulare di Lorenzo continua a squillare a vuoto. Gli mando un messaggio con l'indirizzo della casa e gli scrivo di raggiungermi direttamente lì.

Quando arrivo all'appuntamento provo a chiamarlo di nuovo.

Ha staccato il cellulare.

– Sei un vero pezzo di merda, ecco che cosa sei. Torno a casa e lo trovo sul divano, a fumarsi una canna e a leggere.

– Ma che hai, Lilo?

Mi guarda allargando gli occhi, non m'interessa sapere nemmeno se stia recitando o se davvero non si renda conto di quello che ha fatto. Comunque sia, stavolta ha superato ogni limite.

– Adesso arriva, adesso arriva, continuavo a ripetere all'agente immobiliare e alla coppia dei proprietari della casa. Un'ora e mezzo, Lorenzo, mi hai tenuta un'ora e mezzo ad aspettarti come una stronza di fronte a tre sconosciuti che non sapevano se piangere o se ridere a vedermi così. Gli uomini sono tutti uguali, mi ha detto alla fine la signora, quando ci siamo salutate. Sicuramente troverà il modo di farsi perdonare, ha aggiunto il marito. Magari gli è successo qualcosa, ha buttato lì l'agente immobiliare, e vuoi sapere che ti dico?

Sto alzando la voce come non mi è mai capitato di fare prima d'ora. Lorenzo mi guarda sfoderando uno sguardo di biasimo per la mia mancanza di controllo e non mi risponde.

– Beh, io te lo dico lo stesso. Quasi lo speravo, che ti fosse successo qualcosa.

Prendo il piatto che sta usando come posacenere e lo lancio contro il muro.

– Vaffanculo Lorenzo. Vaffanculo, vaffanculo, vaffanculo.

Sì, lo speravo che ti fosse successo qualcosa, perché anche la tua morte sarebbe stata più facile da sopportare di quanto lo è ritrovarti qui, con la tua faccia di cazzo, a cacare sopra a tutto quello che parla di noi.

– Per favore, Lilo. Guarda come ti sei ridotta.

Lancio contro il muro il telecomando, il libro che sta leggendo, il suo telefonino, tutto quello che mi capita sotto mano. Brian comincia ad abbaiare, Efexor si rifugia sotto il divano.

– Guarda come mi hai ridotto tu.

E finalmente comincio a piangere. Piango l'umiliazione di oggi pomeriggio, piango lo sguardo divertito e rammaricato dei proprietari della casa, piango il fatto che adesso la proprietaria di quella casa sono io che invece di festeggiare piango, piango tutti insieme i giorni in cui Lorenzo mi ha fatto sentire rifiutata, piango tutti insieme i mesi, piango questi anni. Urlo come se qualcuno mi stesse togliendo via la pelle.

– Senti, adesso basta! – All'improvviso Lorenzo si alza e mi dà uno schiaffo.

Mi avvento su di lui con tutta la mia forza. È poca, rispetto a quella con cui riesce a bloccarmi i polsi.

– Adesso basta. Se lo schifo che tu chiami amore porta a comportarsi così, sono fiero di non ricambiare il tuo. – Come al solito per non sapersi difendere attacca. In questo momento però non riesce a farmi sentire peggio di come già mi sento.

– Che cazzo ti è successo oggi? – Continuo a piangere, ma in un modo più umano. La rabbia sta già lasciando il posto al male che c'è sotto.

– Perché non sei venuto? Perché non mi hai nemmeno risposto al cellulare?

– Lidia, ti prego. Lo sai che non sopporto quando usi questo tono da inquisizione.

Mi chiedo che cosa gli ho fatto per meritarmi questo. Ho la faccia piena di lacrime e moccio. Mi faccio schifo. Mi fa schifo lui.

– E adesso che farai, Lorenzo? Te ne andrai in campagna, immagino.

– Penso di sì.

– Bene.

– Perché così sai dove sono e puoi tenermi sotto controllo, vero?

– No. Perché così posso venire qui a scopare con il mio amante.

– Bella questa.

Mi è venuto a prendere in radio. Non ha fatto domande, non gli servono risposte. Quando gli ho telefonato non sembrava nemmeno troppo stupito che dopo avergli chiesto di non cercarmi più, l'avessi cercato io.

Abbiamo cominciato a toccarci in macchina. Siamo entrati a casa mia e l'abbiamo fatto subito, sul tappeto dell'ingresso.

– Continuerei per tutta la notte, – mi ha detto Riccardo.

– Nessuno te lo impedisce, – gli ho detto io.

Siamo andati in camera mia e ha ricominciato a baciarmi dalle dita dei piedi risalendo per tutto il corpo fino alla bocca e poi dalla bocca alle dita dei piedi. Alle tre di mattina ci è venuta fame e ci siamo preparati una frittata. Poi abbiamo ricominciato a fare l'amore. Efexor e Brian a un certo punto si sono messi a ringhiare, pensando che mi volesse fare del male. Invece proprio in quel momento mi stava facendo benissimo.

Adesso dorme, con la testa sulla mia pancia. Mi sto per addormentare anch'io. In salotto. Proprio sul divano dove a Lorenzo piace tanto rimanere invece di venire a letto con me.

------------------------ Original Message -----------------------

>From: brianahern@hotmail.com
>To: lorenzoferri@yahoo.it
>Sent: Friday, April 28, 2006 3:23 AM
>Subject: NON VELENARE!

>Caro Lorenzo,
>mio fratelo, perdona me se scrivo a te nuovamente,
>anche se non ho ricevuto la risposta tua, ma in questi
>giorni preoccupo me stranamente.
>Attento, amico mio. Vedo che IL LIVIDO tuo rota
>come una girandola, imagine che a volte compare
>quando qualcuno ha male dentro e invece di toliere
>questo male lo espande fuori, nelle forme delle parole
>e dei gesti cativi. Sono talmente sincero con te come
>non lo ero mai perché la paura che se tu fai così perdi
>le persone preciouse e le occasioni è forte. Sento il
>dolore tuo, sento la rabbia, sento e vedo tutto,
>Lorenzo. Ma temo per te e Lidia. I nostri compagni
>sono quelli che più il livido può fare male e umiliare:
>se poi, feriti, vanno via, come dire loro “Scusa sai ma
>non ero io che facevo male te! Era il livido! La parte

>nera!"?
>Ripeto perdono per la mia sincerità, ma io volio
>davero bene a te e vedo Lidia in questi giorni SOLA
>completamente, che non dice tutto il male suo per
>non fare più male a te e perché comprende te nel
>profondo come dice la stella della sua fronte, tipico.
>Ma non sempre si è forti per rimanere saldamente
>mentre il livido tuo espande e velena il latte
>dell'amore per te. Enrico dopo che avevo fatto a lui di
>tutto, tornò ma solo dopo mesi e sapevo da subito
>che era la ultima occasione mia, se di nuovo facevo
>male lui stavolta lo perdevo per sempre. Anche per
>questo dico a te ATENTO: non trovare per te Lorenzo
>una nuova occasione di dire io sono bruto e cativo.
>Lidia non ha bisogno dela punitione perché ama te!
>Tu non hai bisogno dela punitione perché ami lei!
>Forza! Sei CARO NEL PROFONDO anche se nel sopra fai
>disastri, non usare il sangue nero del livido come
>veleno!
>Tu ora pensi è buono CAMBIARE SPESSO CONDITIONE,
>perché dopo poco quella che vivi sembra a te quella
>meno desiderata: e dunque vai indietro e avanti fra
>stare in un posto e in un altro, da solo o con la
>compagnia. Bene. Tutto questo movimento finto
>inganna te e fa fare tardi allo appuntamento con le
>cose che sono scritte per te, come Lidia e il libro
>nuovo tuo.
>Non velenare il latte del amore!
>Calma te Lorenzo, tempo tre mesi e, se tu permetti, la
>vita tua melio sarà: propio per questo motivo io
>prendo la parola, sempre scusando l'invasione!
>Abbraccio te e Lidia tua,
>Brian

– ...a domani, per una nuova puntata di *Sentimentalisti Anonimi*...

Lullaby, and good night,
With pink roses bedight,
With lilies overspread,
Is my baby's sweet head.
Lay you down now, and rest,
May your slumber be blessed!
Lay you down now, and rest,
May thy slumber be blessed!

Lullaby, and good night,
You're your mother's delight,
Shining angels beside
My darling abide.
Soft and warm is your bed,
Close your eyes and rest your head.
Soft and warm is your bed,
*Close your eyes and rest your head.**

* *Cradle Song* (Johannes Brahms, *Wiegenlied*).

------------------------ Original Message -----------------------

>From: lorenzoferri@yahoo.it
>To: brianahern@hotmail.com
>Sent: Monday, June 19, 2006 5:12 PM
>Subject: UN VERME

>Carissimo Brian,
>è da un bel po' che non ti scrivo, ma nelle ultime
>settimane ho lavorato molto al mio libro e finalmente
>l'ho finito. Non vedo l'ora che lo legga tu, anche
>perché... sì. L'ho dedicato proprio a te. Voleva essere
>una sorpresa ma io rovino sempre tutto, si sa, e
>quindi ho l'alibi per svelarla in anticipo!
>Per il resto la tua ultima lettera mi ha fatto pensare
>ancora più di tutte le altre, perché è arrivata come al
>solito al momento giusto, dopo che io e Lidia
>avevamo avuto un bruttissimo litigio. In pochi giorni
>tutto si è sistemato, ma il problema di fondo rimane.
>In sostanza devo decidere se andare a vivere con lei
>una volta per tutte, in una casa nuova dove si
>trasferirà fra pochi mesi. Ma qualche giorno fa ho
>recuperato i soldi per potermi comprare una casa

>tutta per me. Non vedevo l'ora che arrivasse questo
>momento, però adesso non so che cosa fare e
>nemmeno che cosa voglio precisamente. Sono
>proprio a un bivio della mia vita, caro Brian. Non è
>colpa mia, ma tutto mi sembra dolorosissimo, ogni
>movimento che faccio o che penso di fare mi brucia.
>Perché di fondo continuo a sentirmi totalmente
>sconsolato.
>Ti confido che per riuscire a finire il libro mi sono
>anche aiutato con delle sostanze che non usavo da
>molto tempo. Ma non lo farò più, perché quando è
>passato l'effetto sono stato ancora peggio di come
>stavo prima. Non giudicarmi male, Brian, ma quando
>il fallimento e la morte ti invadono cerchi di
>difenderti in qualunque maniera, magari sbagliando.
>Dovrei fare come il bruco, hai ragione tu. E invece mi
>comporto come un verme.
>Un abbraccio forte forte.
>Tuo,
>Lorenzo

Lo sapevo fin dall'inizio, che prima o poi sarebbe arrivato il giorno della partenza di Riccardo per la Tasmania.

Sono venuta ad accompagnarlo in aeroporto. Negli ultimi due mesi abbiamo passato insieme molte notti, perché Lorenzo è voluto restare quasi sempre in campagna da solo per finire il suo libro.

L'intimità fisica che abbiamo raggiunto ci ha permesso di costruire in poco tempo un'amicizia profonda. Il più delle volte, abbracciati e nudi a letto, ci siamo ritrovati a parlare proprio della mia storia con Lorenzo.

– Ma come si fa? Da dove si comincia? – mi ha domandato di continuo Riccardo, che dice di non aver mai permesso a un sentimento di condizionare la sua vita e i suoi pensieri come quello che provo per Lorenzo fa con i miei. Non lo so come si fa e tantomeno da dove si comincia, capita e basta, gli ho risposto io. E quando te ne accorgi è già troppo tardi. Riccardo non ha mai bisogno di troppe parole, è abituato ai fondali, mette in conto il mistero.

Così di me forse non ha capito niente. Ma c'è stato. C'era quando sono tornata dalla campagna dove avevo trascorso il weekend cercando di far alzare dal letto Lorenzo, che da più di un anno non vedevo ridotto in quello stato. C'era quando ho scelto la tinta per le pareti della mia camera da letto e per il bagno. Quando ho scoperto che il nuovo libro di Lorenzo non sarebbe stato dedicato a me, quando la radio è stata infestata dai topi e sono dovuta andare in onda lo stesso, quando in televisione una notte davano *Harold e Maude* e io avevo voglia di vederlo per l'ennesima volta, quando avevo bisogno di ridere, di venire, di ascoltare delle storie, raccontare le mie. Ha portato nella mia vita qualcosa di buono senza avere la voglia o sentire il bisogno di spostare niente. Senza nemmeno rendersene conto, forse.

Penso che in qualche modo mi mancherà.

– Magari torno fra un mese.

– Chissà.

– Comunque possiamo scriverci via mail.

– E un giorno posso venirti a trovare io.

– Certo.

Viene un po' da piangere e un po' da ridere a tutti e due. I suoi colleghi si avviano all'imbarco.

– Non fare troppo casino, – mi dice lui.

– Nemmeno tu.

Ci abbracciamo e rimango a guardarlo passare sotto il metal detector e scambiare qualche battuta con la vigilanza. Si gira, mi sorride. Non fare troppo casino, mi ripete. E le scale mobili se lo portano via.

Non saprà mai di essere il padre di mio figlio.

------------------------- Original Message ------------------------

>From: brianahern@hotmail.com
>To: lorenzoferri@yahoo.it
>Sent: Saturday, July 21, 2007 9:23 AM
>Subject: NELLA PARTENSA

>Caro Lorenzo,
>mio fratelo, tu chiedevi scusa a me per rispondere
>tardi e anche io adesso faccio questo. Chiedo scusa.
>Ma aspettavo a lungo prima di scrivere a te per
>trovare parole che non facevano male, perché male
>quello che ho da dire a te non deve fare, male a me
>non fa.
>Sono vecchio e tu sai questa cosa. Naturale che nel
>prima o nel poi dovevo malare me. Fortuna che i
>doctori dicono che non devo sofrire nel lungo
>periodo. E dunque andare via presto. Ragiungere
>Enrico, piace pensare a me.
>Della morte mia non ho paura. Per noi sciamani anzi
>è come il viaggio che per fare prepariamo noi tutta la
>vita. La zona più cieca che ci è e dove tutavia melio si
>vede. Così non avere paura nemmeno tu. E considera

>che anche dove va, questo vecchio frocio del tuo
>amico Brian protegge e guarda te sempre, non lascia!
>No no! Continua nel rompere a te i colioni
>spiando!!!!
>Lorenzo, amico. Raccomando a te la lotta contro il
>pensiero imobile. Raccomando nel non dire sono un
>verme per poi davero diventare verme e così non
>andare verso ma strisiare sotto quello che capita a te.
>Ho la testa che pesa e non vedo più niente con la
>precisione. Ma vedo per te un futuro di luce, questo
>posso dire. Basta che concentri SOLO SU TE la
>attentione, su NESSUNO DI ALTRO. E così non fugghi
>via sempre dallo incontro con una persona che a me
>ha dato tanto di prezioso: quella persona SEI propio TU.
>Abbraccio te, già nella partensa per quel posto che
>tutti pensano lontano e invece avvicina.
>Tuo,
>Brian

Lorenzo è partito per un convegno. Chissà se sarà vero. Comunque come al solito non mi ha detto quando tornerà.

Potrebbe farlo anche stasera stessa.

Devo fare in fretta.

Infilare tutto negli scatoloni. I vestiti, i libri, le lenzuola, il mio computer. Non mi è mai servito molto di più, per vivere.

Toni mi sta aspettando in macchina qui sotto, con i cani. Finché non sarà pronta casa mia, per i primi tempi andrò a stare con lui.

L'importante è che vada via da qui. Da questo quartiere rosa e arancione dove essere lontana da tutti, in fondo, per un certo periodo mi ha fatto sentire protetta. Da queste stanze che dopo ogni ricovero mi hanno dato un posto da cui ricominciare.

Da Lorenzo.

Se non lo faccio adesso, non lo farò mai più. Non devo sentire il suo odore, non devo vedere come allargherebbe quegli occhi che ha, non devo ascoltare quello che di perfetto avrebbe da dirmi se fosse qui mentre me ne vado.

Perché a quel punto non me ne andrei.

Perché forse non me ne sarei andata mai.

Non so che cosa racconterò a mio figlio se un giorno mi

chiederà come è venuto al mondo. L'importante è che non mi chieda mai il perché.

Essere stato desiderato non basta a nessuno.

Ma a lui dovrebbe bastare, se sapesse come mi sento oggi. Se sapesse che se non fosse arrivato lui, io sarei rimasta per sempre con Lorenzo, a qualsiasi costo, a qualsiasi distanza.

Mi piacerebbe poter pensare che fra vent'anni gli parlerò di questo giorno e di questi anni che ho passato con un sorriso, con quell'indulgenza verso se stessi con cui tutti raccontano l'ultima follia che hanno fatto prima di decidersi a mettere la testa a posto e crescere, finalmente.

Ma non sarà così.

La storia con Lorenzo mi è somigliata più di quanto io sia mai somigliata a me.

Non è stata la prova generale di quello che d'ora in poi diventerò.

Mi è corrisposta esattamente. Come una vocazione.

Nonostante le bugie e i tradimenti e la realtà che continuamente diventava qualcos'altro e quando rimaneva uguale a se stessa faceva male, Lorenzo è la persona più vera che abbia mai incontrato.

O forse l'unica che ho saputo incontrare davvero. Che è un po' la stessa cosa.

Toni suona il citofono.

Il tempo di scarabocchiare un biglietto.

E poi me ne vado.

Ma comunque non lo abbandono.

E non ti dimentico. Lilo

------------------------ Original Message -----------------------

>From: lorenzoferri@yahoo.it
>To: brianahern@hotmail.com
>Sent: Monday, July 23, 2007 7:42 PM
>Subject: Lorenzo-Pensiero Immobile 1-0

>Caro Brian,
>non indovinerai mai dove sono, mentre ti scrivo.
>Sono a Pomaia. Nell'unico Internet Point del
>Monastero. Chissà quante volte mi hai scritto tu,
>seduto su questa stessa sedia scomoda dove adesso
>sono io...
>La tua ultima lettera mi ha scosso profondamente.
>Ma voglio essere forte, proprio come mi dici di fare
>tu. Forte come te.
>Sono venuto fin qui proprio per dirti questo. Ho
>chiesto a tutti i monaci che ho incontrato e alla
>signora della portineria di te, ma nessuno sembra
>conoscerti. Questo non mi stupisce. Sei diverso da
>tutti loro, tu. Sei diverso da tutti noi. Giustamente in

>questi anni sarai rimasto per conto tuo. E adesso
>chissà dove hai scelto di andare, perché sono riuscito
>a entrare nel Monastero senza che nessuno se ne
>accorgesse, ho cercato in tutte le stanze possibili
>(bagni compresi!) ma non ti ho trovato. E so che se
>l'avessi fatto ci saremmo riconosciuti subito.
>Forse hai deciso di partire per il tuo ultimo viaggio da
>Grosseto, per avere vicino a te la sorella di Enrico. O
>forse sei andato a Londra, dove tu e Enrico vi siete
>incontrati per la prima volta. O magari proprio in
>Tibet.
>Non hai voluto dirmelo ed è giusto così. Ma voglio
>comunque che tu sappia quello che mi sarebbe tanto
>piaciuto dirti guardandoti negli occhi e
>abbracciandoti forte, per esprimerti tutto quello che
>ti devo e il bene che ti voglio.
>Bene, caro Brian, il male che ho dentro e che faccio
>agli altri non finirà mai di ostacolarmi, lo so, ma
>almeno per una volta voglio vincere io. E quando
>stasera tornerò a Roma dirò a Lidia che voglio vivere
>con lei. Non ce la faccio più a perdere tutto quello
>che di bello mi succede. È ingiusto nei confronti di
>Enrico, e adesso anche nei tuoi. Lidia è il latte di
>capra e io il sangue di serpente, è proprio vero. Così
>stamattina le ho detto che sarei andato a un convegno
>perché volevo tu fossi il primo a sapere che il livido,
>almeno per oggi, è stato sconfitto. E senza il pensiero
>immobile di mezzo riesco a vedermi con la precisione
>con cui tu mi hai sempre guardato. E vedo prima di
>tutto che, come mi hai insegnato tu, il mondo non è
>una mia opinione, ma esiste.

>Esiste una donna come Lidia che mi aspetta.

>E soprattutto esisti tu.

>Fai buon viaggio, fratello mio.

>Quando arrivi, trova il modo di farti sentire.

>Per sempre tuo,

>Lorenzo

Ringraziamenti

Grazie a Umberta Telfener, per aver scritto *Ho sposato un narciso* e per tutti i martedì.

Grazie ai consigli preziosi di Daniela&Luigi, Gianluca, Walter e Nicola.

A tutti quelli che di continuo mi dà Alessandro, e forse nemmeno se ne accorge.

Grazie a Francesca, Elisa&Alberto, Paolo, Roberta, Luca, Errico, Giulia e Carlo per come mi hanno supportato mentre scrivevo e per come in generale mi sopportano.

A Don Sì, convivendo.

A Fabrizio, condividendo.

A Laura, Vito e Matteo: se si potesse affidare a qualcuno la nostra zona cieca, io affiderei la mia a loro.

La mia persona preferita sostiene che i ringraziamenti alla fine dei libri sono volgari e forse ha ragione. Ma il fatto è che proprio a lui devo un po' tutto.

Fuori di qui, e dentro.

Lidia Frezzani una e due
di Walter Siti

Le Chiare Gamberale scrittrici sono notoriamente due: c'è quella leggera, che ha esordito a ventidue anni e sforna libri come panini croccanti, che firma rubriche giornalistiche e radiofoniche, che collabora con Tuono Pettinato e trasforma ogni presentazione in una festa collettiva – e poi c'è quella grave, che si impantana per mesi su una motivazione da trovare, che si arrovella su una ferita insanabile, che vorrebbe starsene nascosta e chiede alla letteratura più di quel che la letteratura possa offrire. La prima ha il dono dello stile "vivace": frasi brevissime e frequenza di a-capo, parole-tormentone, emblemi semplificati, avverbi sostantivati ed enumerazioni caotiche, la poesia adolescenziale come tentazione a cui strizzare l'occhio. ("Ho provato a chiamarlo sul cellulare. / Squillava a vuoto. / Ho provato ancora. / E ancora. / Ancora"; oppure "La goccia nera. / ... / Il legno marcio di un vecchio galeone affondato. / La cacca quando non viene. / Una bolletta scaduta. / Sono uno zero"; o anche "Gli devo Magic Kingdom di Stanley Elkin. / I fuochi di Herzog. / Le galassie di Kiefer. / I fumetti di Julia. / Gli devo il fatto di essere stato il primo uomo a interessarmi anche dopo tre mesi. / La mostarda sulla bistecca".) È bravissima negli incastri, nelle soluzioni strutturali che tengono viva l'attenzione, nell'alternare diversi tipi di scrittura (il dialogo, la telefonata in diretta radio, la mail, la ninnananna) e diversi caratteri tipografici (tondo, corsivo, Simoncini Garamond, Optima, Helvetica) e addirittura foto e disegni inseriti nel testo. Con la prima Chiara non ci si annoia mai.

La seconda sente il richiamo della pesanteur, azzarda periodi pensosi e sentenze sapienziali, abbozza ritratti classici che potrebbero stare in una lettera di Mme de Sévigné. ("Aveva ovunque la fama dell'uomo mite e disponibile, e in effetti era sempre pronto a dare un consiglio di lavoro efficace o a confortare un amico abbattuto da un insuccesso. Non lo sentivo mai fare commenti anche solo vagamente dettati dall'invidia o dal rancore e non se la prendeva mai con nessuno"; o anche "L'immagine a questo punto si deforma, Lorenzo e Riccardo scompaiono, e il mio corpo diventa un campo di battaglia per uno scontro fra il piacere che si dà e quello che si prende, fra la passione e il gioco, fra quello che ognuno dovrebbe meritarsi e quello che sceglie"). La seconda Chiara gira intorno alle spiegazioni come un asino intorno alla noria, torna sul già detto per dirlo meglio, richiede una seconda lettura; esige concentrazione, attira verso un fondo limaccioso. Se la prima rivendica il "diritto di intrattenere", la seconda parla di disturbi alimentari, di sadomasochismo, di follia ("da poche settimane ero stata dimessa dal mio terzo ricovero in una clinica psichiatrica"). Parla di quel Tutto e di quel Niente, di quell'Abbondanza e di quella Privazione rispetto a cui ciò che chiamiamo amore (anzi, ciò che chiamiamo Eros) non è che un'approssimazione rozza. La seconda Chiara è una filosofa dell'ossessione.

Ma le due si conoscono, sanno l'una dell'altra: a gettare un ponte sopra il rischio schizofrenico è un tono stilistico intermedio, l'ironia. Se la prima sospira "Non ne posso più di tutto questo altrove, ho bisogno di un po' di dove", l'altra risponde "Ti ha mai detto nessuno che parli come un Harmony?". La mescolanza di alto e basso appartiene ovviamente anch'essa allo stile "vivace" ("– Lo dice Hillman nel saggio sul Puer Aeternus, immagino. – No. – E chi, allora? – Britney Spears, in un'intervista"); ma è anche il modo per difendersi da un antico complesso di inferiorità culturale. Qui si apre il discorso del bovarismo, non più riferito alla Gamberale autrice ma al suo personaggio, Lidia Frezzani.

Lidia ha fatto un'università frettolosa, conduce in radio una trasmissione considerata frivola, viene da un "telegiornale per l'infanzia" su una rete locale abruzzese. Quando incontra Lorenzo, incontra la cultura: una cultura di nicchia, un po' snob, in cui brillano le stelle di Leigh Bowery e Walker Evans, di Ágota Kristóf e Lucian Freud – l'autorità intellettuale di Lorenzo lei la percepisce in modo indiretto ("triangolare", avrebbe detto Girard), a partire dalla stima che vede tributargli intorno. Lorenzo è consapevole del gap, lo intenerisce e ne approfitta (il suo ultimo libro, significativamente, è un'autobiografia immaginaria di Emma Bovary); posa a fare il colto e il nichilista, il Macbeth da salotto ("il mondo è il sogno di un ubriaco"). Godono entrambi di un discreto benessere economico, anche se non si sa da dove provenga di preciso, e possono permettersi vacanze glamour: Angkor Wat e Spalato, Real de Catorce e Saigon, l'isola di Maui e quella greca di Astypalaia, la riserva thailandese di Khao Phra Taew dove adottano a distanza un gibbone. Il loro primo incontro avviene in un luna park, hanno amici di tutti i sessi, chiamano se stessi come i personaggi dei fumetti – aspirano a una dannunziana "vita inimitabile" (Lidia è pur sempre di Pescara). Insomma, si presentano sociologicamente come una coppia non simpaticissima appartenente al terziario ricco e "trasgressivo". Ma entrambi sono più di questo. Lidia ha dentro una dose di semplicità contadina (o provinciale) che la trattiene coi piedi per terra nelle cose che contano, sa distinguere istintivamente la libertà dalla schiavitù, è dotata di una finezza analitica che travalica la sua poca cultura; è interessata a vedersi con gli occhi degli altri non per relativismo pirandelliano ma per imparare dagli altri come bisogna vivere. È anche lei doppia come la sua inventrice, doppia nella psiche: divorata dall'ansia del controllo ma attratta dall'eccezione sregolata, disperatamente raziocinante eppure passionale al limite dell'autolesionismo, giudicante e insicura, la sua vitalità assorbe come una spugna il nichilismo altrui – l'unione di alto e basso in lei non è strategia espressiva ma il modo naturale di essere insieme plebea e aristocratica, banale e assoluta: se dice "Lorenzo è Lorenzo" non possiamo non sentirlo come un'eco della tautologia divina ("Io sono Colui che sono"), ma sovrapposto agli slogan mediatici di tipo pubblicitario ("perché Sanremo è Sanremo"). Lidia ha una faccia rivolta ai luoghi comuni dei suoi *Sentimentalisti Anonimi* ("c'è molta verità nei boleri", dice Molina nel *Bacio della donna ragno* di Puig) e una faccia che chiede continuamente conto, e tiene testa, all'élitaria indifferenza esistenziale dell'odiamato Lorenzo.

Nelle narrazioni a base autobiografica succede (raramente e miracolosamente) che l'autore trovi il suo personaggio: quello in cui l'autobiografia s'incontra col fantasma visionario, quello che incarna la ferita, la faglia, il desiderio inconscio personale e collettivo, insomma il suo angelo nero. Lorenzo è il personaggio della Gamberale (prima e seconda), tant'è vero che lo ritroveremo, con la sua sparring-partner Lidia, in *Le luci nelle case degli altri* e poi in *Adesso*; personaggi trans-testuali che variano in qualche caratteristica secondaria ma restano fermi nella loro funzione di riverberare la biografia sul mito e viceversa. "Gli uomini che frequentavo avevano senso solo per venire paragonati dentro di me a Lorenzo e possibilmente per non reggere il confronto": questa frase della *Zona cieca* costituisce, letteralmente, la matrice di tutta la prima parte di *Adesso*.

Lorenzo è insopportabilmente narciso, lucido, astratto, cinico, drogato, esibizionista, profondo, ingenuo: reggerne l'insopportabilità è il rito di passaggio di Lidia (che lo incontra subito dopo essersi resa indipendente dalla clinica psichiatrica, di cui Lorenzo è quindi la prosecuzione narrativa). Tutti parlano di lui come accade per gli eroi del teatro classico, infiniti specchi (l'amico gay, la psichiatra, le ex, gli ascoltatori, il computer) rifrangono e rimpallano la sua immagine; il suo fascino deriva dalla compresenza degli opposti, dalla contraddizione perenne; ha paura dell'amore come Sigfrido, ha le iridi di colore diverso come Alessandro Magno, mente come Pinocchio. È un trickster, uno zingaro, un falso rivoluzionario (non esiste rivoluzione senza égalité), usa il paradosso come gesto d'affermazione e il bon ton come forma di disprezzo; ma è soprattutto uno straordinario demolitore di convenzioni sociali consolidate, che siano la paternità o la proprietà, la cura di sé o la competizione per il Potere ("detesto le questioni di principio, sanno di roba andata a male"). Per una come Lidia, che ha costruito il proprio fragile equilibrio su una continua tensione coi diktat della società, in lotta perpetua con un Padre simbolico, l'apparizione di Lorenzo deflagra come una bomba, questo anti-Padre è un acido che distrugge tutto ciò che tocca. Se Lidia riesce a resistere alla sua forza dissolutrice è solo perché si aggrappa al bisogno femminile di generare: le ironie di Lorenzo sugli infanti "mostriciattoli" sono le uniche che dentro di lei fanno davvero cilecca – anzi, le aprono gli occhi e l'aiutano a vedere Lorenzo stesso come un bambino; o meglio l'istinto materno, che già covava ("il mio bambino dolcissimo in cerca di attenzioni"), da accogliente si fa strategico. Con barbara astuzia si inventa un improbabile sciamano da Wikipedia che parla come lo Yoda di *Guerre stellari* ("quando ci sono quelle forze, spazio per noi non ci è") e incredibilmente Lorenzo ci casca, avviando la vicenda a un sia pure aperto lieto fine. Un happy ending stridulo e ambiguo, se è vero che per ottenerlo si deve passare da una mascherata (lei si traveste da Brian lo sciamano come una delle *Sentimentaliste Anonime* si era travestita da Sbirulino per fare del buon sesso col marito). In *Le luci nelle case degli altri* leggeremo di Lidia e Lorenzo finalmente sposati, ma al prezzo di una interruzione forzata di quella gravidanza che conclude vittoriosamente *La zona cieca*; un figlio di Lorenzo e di Lidia pare simbolicamente impossibile, perché sarebbe il frutto di un incesto.

È qui che si rivela la bravura compositiva delle due Chiare: la prima osa sfiorare il melodramma con gli espedienti narrativi del "gioco al massacro", dell'"amare il mostro" (vedi *Twilight*), dell'"io ti salverò" e perfino del "ridi pagliaccio" (costretta al suo ruolo di intrattenitrice radiofonica anche quando sta malissimo), mentre la seconda lavora in miniera – sotto l'opposizione ovvia dei due amanti, sotto la solita solfa della donna-che-si-annulla-nella-relazione, sotto le scenate e i ricoveri al pronto soccorso, Chiara-due traccia con mano ferma un'implacabile identità: i due amanti si dichiarano inesistenti a vicenda, condividono lo stesso male, per Lidia rinunciare a Lorenzo significherebbe rinunciare alla ferita che la rende speciale. "La storia con Lorenzo mi è somigliata più di quanto io sia mai somigliata a me": più ancora che un fratello, o un necessario complemento ("una gita turistica in un'altra forma di disperazione per abbandonare la mia"), Lorenzo è la vocazione profonda di Lidia, una sua proiezione – quando dichiara "Lorenzo era casa mia" non possiamo non pensare all'"I am Heathcliff" di Catherine in *Cime tempestose*.

Chiara Gamberale ha un cane che ha chiamato Tolep (perché quando l'ha trovato saltava come un matto), Lidia ne ha uno che si chiama Efexor; il Tolep è un medicinale antiepilettico molto potente, l'Efexor è un antidepressivo assai più blando – nel passaggio di nome dal cane empirico a quello letterario è evidente l'intenzione di usare l'autofiction come terapia. Ma è una terapia a doppio taglio, che inganna: l'io autofinzionale reifica l'ideale di sé e, quando non li blocca, rende più faticosi i cambiamenti reali. La coppia transtestuale Lidia-Lorenzo non ha finito la sua corsa, li attendiamo a nuovi incroci. Anche la pratica (balzacchiana e feuilletonista) dei personaggi transtestuali ammette una doppia lettura: fidelizza il lettore dandogli quel che già conosce, ma nello stesso tempo si proclama fedele all'ossessione idiosincratica, tutt'altro che commerciale. La domanda finale sarà dunque: i romanzi di Chiara Gamberale appartengono al Midcult? Come risposta faccio notare due fatti laterali: nel racconto di Lidia ci sono momenti di sesso esplicito e imbarazzante, ma non c'è mai nemmeno l'ombra di porno-soft femminile – secondo, l'anoressia e il masochismo sono vissuti ma non si impancano mai a "temi sociali", come in tante scrittrici devote a un femminismo di maniera. Se il Midcult si caratterizza per l'ambizione di voler apparire "cultura alta" senza esserlo, e dunque ammanta i testi di una patina difficile (per dare ai lettori il brivido di respirare l'aria delle vette) su un fondo di banalità, nella *Zona cieca* succede esattamente il contrario: a un'apparenza "facile" corrisponde una sostanza difficile. Mi viene addirittura l'idea che la "leggerezza" possa essere una tecnica (studiata o no) per tenere lontana la letteratura da quelle barre d'appoggio ideologiche che invece di renderla più seria la sporcano di pretesti; se così fosse, allora finalmente le due Gamberale potrebbero darsi la mano.

luglio 2017